CW00859615

Mariou
Lumpenkind und Silberbaum
Geschichten der keltischen Tradition

Für alle, die Geschichten lieben.

Mariou

Lumpenkind und Silberbaum
Geschichten der keltischen Tradition

Bibliografische Information der Deutschen
Nationalbibliothek:
Die Deutsche Nationalbibliothek verzeichnet diese
Publikation in der Deutschen Nationalbibliografie,
detaillierte bibliografische Daten sind im Internet
über http://dnb.dnb.de abrufbar.

©2016 Marion Wiesler
Covergestaltung: Veronika Tanton
Linoldruck: Gerhard und Emma Wiesler
Herstellung und Verlag:
BoD – Books on Demand, Norderstedt

ISBN 9783739236032

Inhalt:

Diese neun traditionellen Geschichten werden in vielen Abwandlungen überall erzählt, wo keltisches Kulturgut hochgehalten wird. Hier in diesem Buch finden sie sich in der Form, wie ich sie auf vielen meiner Veranstaltungen schon erzählt habe.
Auch wenn jede Erzählung an Lebendigkeit verliert, wenn sie auf Papier festgehalten wird, so ist sie dafür für den Leser immer und überall ein Eintrittstor in die keltische Welt, nicht nur an meinen Erzählabenden.

"Man ist nie zu alt für eine gute Geschichte!"

Mariou

Tam Lin

Es war einmal ein keltisches Dorf, oben auf einem Berg, umgeben von einer hohen Palisade.

In diesem Dorf lebte Oisra, die Tochter des Stammesführers. Sie war ein hübsches Mädchen, mit rotblondem Haar und Sommersprossen – und einem enormen Dickkopf.

Es kam nun die Zeit, als Oisra zur Frau wurde und ihr Vater überlegte, welchem Mann er sie zum Weibe geben sollte. Ein paar der jungen Burschen im Dorf kamen ihm schon in den Sinn, die auch Manns genug waren, es mit Oisras Sturheit aufzunehmen, aber da er seine Tochter liebte, rief er sie erstmal zu sich.

"Oisra, du bist nun alt genug, um zu heiraten. Da ich weiß, dass du deinen eigenen Willen hast, so will ich dir gar nicht sagen, wen ich gerne als deinen Ehemann sähe, sondern dir die Wahl unter den jungen Männern des Dorfes lassen. Sage nur, welchen du heiraten willst."

Oisra spielte gedankenverloren mit ihren langen Zöpfen, während sie vor ihrem inneren Auge die Jünglinge des Dorfes durchging. Der Erste war zu alt, der Zweite zu jung, der Dritte – viel zu dick, der Nächste zu mager, der zu dumm, jener zu besserwisserisch, der wieder ungepflegt, der eitel ... Oisra wusste sehr wohl zu schätzen, dass ihr Vater ihr die Wahl ließ, doch so sehr sie sich auch bemühte, am Ende kam sie immer zu demselben Schluss: "Vater, da ist keiner dabei. So gerne ich einen wählen würde, aber ich kenne sie alle, seit ich klein bin, ich kenne all ihre Fehler und Stärken, und es ist kein Einziger dabei, den ich lieben könnte."

"Lieben? Wer redet von lieben? Ich rede von heiraten!", brummte ihr Vater.

"Nein Vater, ich werde nur einen Mann heiraten, der mein Herz klopfen lässt, dass ich meine, es zerspringt."

"Wenn ich Herzklopfen hätte, dann würde ich zum Druiden um ein Heilmittel gehen ... aber gut, ich verstehe, was du sagen willst. Dennoch, ich kann dir nicht so einen Mann herzaubern, also wirst du dich wohl mit einem aus dem Dorfe begnügen müssen. Bis morgen gebe ich dir Zeit, dich zu entscheiden."

Und Oisra entschied sich.

Als es Nacht war – und zum Glück war es eine helle Vollmondnacht – zog sie ihren warmen Umhang über und verließ heimlich das Dorf, um einen Mann zu suchen, der ihr Herz klopfen ließ.

Sie wanderte und wanderte, sie kam zu anderen Dörfern, zu Märkten, sogar zu Städten. Sie traf junge Männer und alte, dicke und dünne, redsame und stumme. Doch bei keinem pochte ihr Herz.

Müde und verzweifelt kam sie eines Tages zu einem Wald. Es war nicht der erste Wald, zu dem sie kam, aber jener Wald, der schien besonders – besonders dunkel, besonders dicht, besonders still.

Oisra zögerte, ihn zu durchwandern, doch als sie nach links blickte – Wald bis zum Horizont, nach rechts – dasselbe in Grün.

War dies das Ende ihres Weges? Sollte sie umkehren und sich dem Willen ihres Vaters fügen? Nach der langen Zeit der einsamen Wanderung schienen ihr einige der Männer in ihrem Dorf gar nicht so übel.

Als Oisra da so stand, entdeckte sie am Waldesrand einen Rosenbusch, der trug trotz des späten Herbstes dermaßen schöne Blüten, dass sich ein Lächeln in ihr müdes Gesicht zauberte. So eine Rose wollte sie pflücken und bei sich tragen, um nicht den Mut zu verlieren.

Kaum hatte sie eine Blüte vom Strauch gebrochen, stand ein Mann vor ihr, groß und breitschultrig, mit einem dunkelgrünen Umhang und bösem Blick.

"Wer wagt es, hier eine Rose zu stehlen?"

Oisra erschrak. "Verzeiht, ich wusste nicht, dass die Rosen jemandem gehören. Ich bin Oisra, Rugbars Tochter, und habe einen weiten Weg hinter mir. Als ich die Rose sah, da erschien sie mir so schön und tröstlich, dass ich sie bei mir tragen wollte, um nicht den Mut zu verlieren."

Da kam ein zögerliches Lächeln in das Gesicht des Fremden und es schien, als wäre es das erste Lächeln seit Jahren, das sich auf seine Lippen schlich.

"Ja, sie sind schön, die Rosen, doch das bist du ebenso. Deshalb will ich so tun, als hätte ich es nicht gesehen. Doch höre auf mich, kehre um, gehe nicht durch diesen Wald! Dies ist Feenreich, und wenn du den Wald betrittst, wirst du ihn nicht mehr verlassen können. Die Feenkönigin liebt junge Mädchen wie dich."

Als Oisra den Mann so lächeln sah und seine tiefe, melodische Stimme an ihr Ohr drang, da fing ihr Herz an, wie verrückt zu klopfen.

"Wer bist du, Wächter des Waldes?"

"Genau, ich bin der Wächter dieses Waldes, doch einst war ich Tam Lin. Wisse, auch ich war einmal ein sterblicher Mensch, und wie ich wünschte, ich könnte es wieder sein! Doch als ich eines Tages durch diesen Wald ritt, da überfiel mich eine bleierne Müdigkeit, dass ich von meinem Pferd stürzte und schlafend liegen blieb. Als ich wieder erwachte, war ich mitten im Feenreich gefangen. Und so schön und verlockend die Königin ist, ich vermisse mein Leben als Mensch sehr."

Tam Lin stand im Schatten der mächtigen Bäume, Oisra im hellen Sonnenschein. Nun machte sie einen zögerlichen Schritt auf das bedrohliche Dunkel zu.

"Wenn ich den Wald betrete, könnte ich dann mit dir Wächterin des Waldes sein?"

Tam Lin trat ihr in den Weg, konnte aber nicht die Grenze des Waldes überschreiten: "Tu es nicht, liebe Oisra, man weiß nie, was der Feenkönigin einfällt. Sie ist sehr mächtig und eifersüchtig. So schön es wäre, tu es nicht."

Nachdenklich machte Oisra einen Schritt zurück. Ihr Herz pochte so laut, dass für sie klar war, sie würde diesen Mann nicht mehr verlassen können.

"Ja dann, gibt es keine Möglichkeit, dich aus dem Feenreich zu holen?"

"Es gibt sie, doch wie ich sagte, die Feenkönigin ist mächtig und unberechenbar. Ich möchte dich nicht dieser Gefahr aussetzen, denn du bist wahrlich das liebreizendste Wesen, das ich je gesehen habe, und ich könnte nicht ertragen, wenn dir etwas geschieht."

"Und ich weiß jetzt schon, dass ich es nicht ertrage, ohne dich zu sein."

Lange standen die beiden da, sie auf der Wiese, er im Wald, und blickten einander an. Hätte man ein feines Ohr gehabt, so hätte man gehört, wie ihre Herzen gemeinsam im Takt schlugen, schnell und fordernd.

Sie hätten wohl ewig so stehen können, doch wenn man nichts sehnlicher will, als zueinander zu kommen, wird dieser Zustand unerträglich.

"Verrate mir, wie ich dich erlösen kann. Lass mich selbst entscheiden, ob ich es wage", meinte Oisra schließlich, den Tränen nahe.

Tam Lin seufzte. "Nun gut, in drei Nächten ist Samhain, und in jener Nacht reiten wir Feen aus dem Wald. Du musst dich hier am Waldrand verstecken – aber komme ja nicht in den Wald herein! Als Erstes wird eine Schar Reiter kommen, von der Königin angeführt. Halte dich versteckt. Dann kommt eine zweite Schar, halte dich versteckt. In der dritten Schar werde ich sein, auf einem weißen Pferd. Wenn du mich siehst und wenn der letzte Huf meines Tieres den Wald verlassen hat, dann musst du mich vom Pferd reißen und fest an dich drücken. Egal was dann geschieht, lass nicht los. So kannst du mich befreien."

Das klingt nicht so schwer, dachte Oisra.

Tief aus dem Wald erklang ein sonderbarer Pfiff und sofort zog Tam Lin sich zurück, nicht ohne Oisra ein Lächeln zu schicken.

Die nächsten Tage wartete Oisra am Waldesrand. Tam Lin erschien nicht wieder und sie hatte schon Sorge, dass sie ihn niemals wiedersehen würde.

Doch dann, als die dritte Nacht hereinbrach, die Nacht von Samhain, in der die Übergänge zwischen der Menschen- und der Anderswelt offen sind, da vernahm sie aus dem Wald leises Hufgetrappel. Eilig versteckte sie sich am Waldesrand. Und richtig, eine Schar Reiter galoppierte an ihr vorbei, allen voran die Königin auf einem silbrigen Pferd, mit silbernem

Sattel und Zaumzeug. Das lange, silberne Haar der Herrscherin wehte im Wind und sie sah wunderschön aus. Oisra war von ihrem Anblick so verzaubert, dass bereits die zweite Schar Reiter an ihr vorbei war, ehe sie wieder denken konnte. Gerade noch rechtzeitig, denn schon nahte die dritte Schar und, vorsichtig aus ihrem Versteck blickend, sie erspähte Tam Lin, der sich mit seinem weißen Ross am Rande der Schar hielt.

Warten, warten – da, der letzte Huf seines Pferdes verlässt den Schatten des Waldes, Oisra stürzte auf ihn zu, riss den Geliebten vom Pferd und drückte ihn fest an sich.

Plötzlicher Tumult, Reiter halten an, Stimmen rufen durch die Nacht: "Tam Lin ist verschwunden!"

Die Feenkönigin zügelte ihr Pferd, riss es herum und preschte zurück. Ihr Blick traf Oisra und der lief es eiskalt über den Rücken.

"Ach wie niedlich, eine kleine Sterbliche glaubt, hier die Heldin spielen zu können."

Trotzig hielt Oisra dem Blick der Königin stand. Doch sie spürte, wie auf eine Geste der Herrscherin hin, Tam Lin in ihren Armen zu schrumpfen begann. Immer kleiner und kleiner wurde er, bis sich der große Mann in eine Maus verwandelt hatte. Oisra hielt das zappelnde Tierchen fest an ihre Brust gedrückt, in Sorge, es zu fest zu halten und zu zerdrücken oder zu locker und loszulassen, aber sie fand das rechte Maß.

"Sieh an, vor Mäusen fürchtest du dich also nicht. Wie ist es damit?"

Weiterhin zappelte Tam Lin in Oisras Händen, doch nun wurde er immer länger und länger und verwandelte sich in eine Schlange, die zischelnd ihre gespaltene Zunge in Oisras Gesicht züngelte. Doch auch diesmal hielt Oisra den Geliebten fest, die Feenkönigin würde ihren Dickkopf nicht brechen.

Und wieder verwandelte sich der Feenritter. Die Schlange wurde starr und fest, ein schweres Stück Eisen. Und dieses Eisen begann immer heißer zu werden, bis es rot glühte. Entschlossen sah Oisra der Königin in die Augen und hielt die glühende Stange fest an ihre Brust gedrückt. Der Geruch von verkohltem Fleisch breitete sich aus.

Schmerzenstränen rannen Oisra über die Wangen, doch sie würde nicht aufgeben, um nichts in der Welt. Da endlich wandte sich die Königin mit einem verächtlichen Schnauben ab. Als sie mit der Feenschar davonstob, ließ sie ihrem Unmut über die Niederlage in einem schrillen Schrei freien Lauf. Mit einer großen, wegwerfenden Geste gab sie Tam Lin sein Menschendasein wieder.

Zurück in seiner menschlichen Gestalt stand er nun vor Oisra, die vor Erleichterung und Schmerz zusammenbrach.

Tam Lin bettete sie auf weiches Moos und verband ihre Wunden mit Auflagen aus den Blüten der Rose am Waldesrand.

Als Oisra kurze Zeit später die Augen wieder aufschlug, waren ihre Wunden dank der Zauberrose verheilt. Glücklich und eng umschlungen machten sich die beiden auf den Weg, um Oisras Vater jenen Mann vorzustellen, den sie bereit war zu heiraten – von ganzem, pochenden Herzen.

Das Lumpenkind

Es war einmal ein König, der hatte ein einziges Kind, eine Tochter, und diese Tochter liebte er über alles, umso mehr, da ihre Mutter gestorben war. Die Tochter wuchs heran und heiratete einen jungen Prinzen. Doch es kam Krieg, und der junge Prinz musste in die Schlacht ziehen, just als die Prinzessin schwanger war. Er kam nicht wieder aus der Schlacht zurück. Die Prinzessin grämte sich und war todunglücklich, und ihr Vater litt mit ihr. Als die Prinzessin ihr Kind gebar, da war sie so schwach und krank vor Kummer, dass sie starb.

Der alte König war untröstlich. Und in seiner Verzweiflung, da gab er die Schuld am Tod seiner geliebten Tochter seiner soeben geborenen Enkelin. Als die Amme sie zu ihm brachte, auf dass er ihr einen Namen gäbe, da wandte er sich ab und er sagte: "Ich schwöre, ich werde dieses Kind nie ansehen. Es hat mir meine Tochter genommen, ich will es nicht sehen!"

Und er ging hinauf, ins allerhöchste Turmzimmer, setzte sich ans Fenster und weinte.

Es ging bergab mit dem Königreich. Es gab keine Feste mehr, keine Empfänge. Auch Händler mieden den Ort, denn der König wollte nichts. Er saß tagein, tagaus an seinem Fenster, sein Bart wuchs lang und länger. Da die Diener allesamt wussten, dass er mit der kleinen Prinzessin nichts zu tun haben wollte, so taten sie es ihrem Herren gleich.

Einzig die Amme kümmerte sich noch immer um das Mädchen, doch als es älter wurde, erntete sie dafür immer mehr Spott, und so steckte sie ihr nur noch heimlich etwas zu – ein wenig Essen, ein paar abgelegte Kleider.

Die Prinzessin wuchs heran. Dünn war sie und in Lumpen gekleidet, ihre Zöpfe meist verfilzt und ihr Gesicht dreckig.
Was für ein trauriger Ort war das, an dem sie lebte! Niemand sprach mit ihr, niemand beachtete sie. Man nannte sie Lumpenkind und tat so, als gäbe es sie nicht. Nur einen Lichtblick gab es im Leben der Prinzessin: Hinter dem Schloss grenzte eine Weide an die Palastmauern und jeden Tag kam ein Hirtenjunge mit seinen Gänsen. Oft ging das Lumpenkind zu ihm, und wenn sie gar zu traurig war, dann spielte er ihr etwas auf seiner Hollerflöte vor und sie wurde wieder fröhlich. Gemeinsam sangen sie dann, und ihre Stimme war so schön, so wunderschön, dass, wenn ihr Gesang in den Himmel hinaufschwebte und zufällig an das Ohr des weinenden Großvaters drang, er meinte, er höre die Engel singen.

So vergingen die Jahre und das Lumpenkind wurde zu einer jungen Frau. Da kam eines Tages ein berittener Bote ins Schloss und alle sprachen nur noch von einem: Im Schloss des Königs des Nachbarlandes würde es ein großes Fest geben, da sein Sohn großjährig wurde. Und alle Adelsdamen waren eingeladen und alle benachbarten Könige sowieso.
Auch dem Großvater blieb nichts anderes übrig, als seinen Fensterplatz zu verlassen, dessen Fensterbrett von all den Tränen schon ganz ausgewaschen war,

und zu dem Nachbarkönig zu reiten, denn es wäre sehr unhöflich gewesen, nicht zu erscheinen.

Das Lumpenkind eilte zu der alten Amme und fragte: "Amme, ich bin doch auch eine adelige Dame, eine Prinzessin. Meinst du, Großvater nimmt mich mit?"

Die Diener, die dies hörten, lachten laut – das Lumpenkind auf einem königlichen Ball? Doch die Amme versprach, den Großvater zu fragen. Nun, der alte Mann wurde wütend und verbot es, seine Enkelin auch nur zu erwähnen.

Betrübt brachte die Amme dem Lumpenkind die schlechte Nachricht. Ach, wie war die Prinzessin da unglücklich! Weinend rannte sie aus dem Schloss, die Tränen strömten aus ihren Augen wie Wasser aus einem Bergquell.

Auf der Weide begegnete ihr der Gänsehirte.

"Wieso weinst du?", fragte er.

"Ach, der Nachbarkönig hält einen großen Ball zum Geburtstag des Prinzen ab, zu dem alle Adelsdamen geladen sind, doch mein Großvater erlaubt mir nicht, hinzugehen."

"Willst du denn den Prinzen sehen?"

"Aber nein", sagte die Prinzessin, "ich will nur so gerne ein Fest erleben! Bei uns ist es immer so still und dunkel und einsam, ach, wie gerne würde ich Menschen tanzen sehen und lachen! Die Dienstboten erzählen oft davon, wie es früher war, bevor ich -"

Sie schwieg, denn sie wusste wohl, dass all dies erst seit ihrer Geburt so war.

"Nun", sagte der Hirtenjunge, "dann lass uns dorthin gehen! Wir werden schon einen Weg finden, dass du den Ball sehen kannst."

"Aber – sieh mich doch an!"

Da lachte der Gänsejunge und sagte: "Ich finde dich immer wunderschön! Nun komm!"

Und sie machten sich mit den Gänsen auf den Weg in die Stadt des Nachbarkönigs. Die ganze Zeit sangen sie und der Hirtenjunge spielte zwischendurch auf seiner Flöte, dass die Prinzessin vor Freude tanzte.
Da kam an einer Wegkreuzung ein Reiter daher und bog auf denselben Weg wie sie. Doch statt an ihnen vorbeizureiten, ging er im Schritt neben ihnen her und lauschte dem Gesang der Prinzessin. Oh, wie sang sie herrlich in ihrer Freude! Und obwohl ihr Gesicht mit Dreck verschmiert war und die Tränenspuren auf ihren Wangen wie weiße Linien aus dem Schmutz leuchteten, obwohl ihr Haar struppig war und unfrisiert, ihm kam vor, er hätte selten ein lieblicheres Mädchen gesehen.
"Wo geht ihr denn hin?", fragte er endlich die sonderbare Gruppe aus Lumpenkind, Hirtenjungem und Gänsen.
"Zur Geburtstagsfeier des Prinzen!", antwortete der Gänsehirte.
"Tatsächlich? Ich auch! Nun, wenn ihr dort seid, dann will ich dafür sorgen, dass ihr in den Ballsaal könnt – wenn ihr dann für mich singen wollt!"
Das Lumpenkind errötete leicht – es war es nicht gewöhnt, dass man es ansah, schon gar nicht mit so freundlichen Augen. "Gerne", sagte es. Der Reiter grüßte höflich und ritt davon.
"Welch nobler Herr!", staunte das Lumpenkind.
"Du wirst sehen, bei Hof sind alle so nobel!"
"Ach, wie soll ich es denn da wagen, am Hof aufzutauchen, so zerlumpt, wie ich bin ..."

"Wenn du das Tanzen und Lachen sehen willst, dann wirst du es wohl wagen müssen."

Sie kamen zum Palast, es war schon bald Abend. Hastig wusch sich die Prinzessin an einem Brunnen den Dreck aus dem Gesicht, dann suchten sie ein Fenster, bei dem sie hineinsehen konnten. Was war das für eine Pracht! Blumengestecke, Kerzenschein! Wunderschöne Frauen in noch schöneren Kleidern! Neben dem König entdeckte das Lumpenkind ihren Großvater, der sich ein wenig fremd vorkam. Und ganz in der Nähe der Eingangstür, gleich neben dem Wächter, da stand der Reitersmann, als warte er schon auf sie. Tatsächlich, als er entdeckte, wie sie durch das Fenster spähte, da lachte er und deutete ihr, zur Tür zu kommen. Schüchtern trat die Prinzessin ein. Der Wächter sah sie kritisch an, ließ sie aber passieren.

"Und, gefällt es dir?", fragte der Reitersmann.

"Oh, es ist herrlich, all dieser Glanz, all die lachenden Menschen!"

"Nun, dann musst du für mich singen."

"Hier, vor all den Leuten?"

Der Reiter nickte und der Gänsehirte packte seine Flöte aus und begann zu spielen.

Wie staunten die Leute, als sie die Musik hörten und das Lumpenkind sahen! Und wie staunte der Großvater, als er die Lieder erkannte. Er musste sich abwenden, denn er hatte ja geschworen, seine Enkelin nie anzusehen. Aber es war wohl auch Rührung, als er erkannte, dass jene Engelslieder die Lieder seiner Enkelin waren.

Je länger das Lumpenkind sang, desto schöner wurde

es. Seine Lumpen verwandelten sich in ein goldleuchtendes Kleid, sein Haar wurde seidig und glänzend, und alle konnten seine wahre Schönheit erkennen.

Der Reiter führte die Prinzessin zum König und sprach: "Vater, dies ist die Frau, die ich heiraten werde – sofern sie mich will."

Die Prinzessin warf einen Blick zu ihrem Gänsejungen, doch vor ihren Augen löste er sich lächelnd in Luft auf. Ihrem Großvater war es, als hätte er im Gesicht des Jungen die Züge seiner verstorbenen Tochter erkannt.

Die Prinzessin heiratete den Prinzen. Und der alte König freute sich auf den Tag, wo sie ihm einen Urenkel schenken würde, den er dann nicht mehr aus den Augen lassen wollte.

Frau Holles Apfelgarten

Es war einmal vor langer Zeit, da saß Frau Holle in ihrem Apfelgarten und sie war sehr unzufrieden. All ihre Bäume ließen die Äste hängen, das Laub war fleckig und die Früchte von Jahr zu Jahr kleiner. Sie tat, was jede Frau tut, die nicht mit ihren Freundinnen über ein Problem reden kann: Sie rief ihren Liebsten, dass er sich der Sache annähme.

Der Liebste der Frau Holle, das ist der Tod. Und wie jeder Geliebter eilte er zu ihr, sobald seine Arbeit es ihm erlaubte.

Frau Holle klagte ihm ihr Leid: "Schau nur meinen Apfelgarten an! Einst war er der prächtigste weit und breit! Und jetzt? Und da, sieh hinunter, dort unten auf der Erde, siehst du diesen wunderbaren Apfelgarten? Die alte Frau, der er gehört, sie versteht was von Äpfeln! Ihre Bäume sind immer gesund und grün, ihre Äpfel jedes Jahr makellos und ihre Ernte reichlich. Geh, Liebster, hol sie mir herauf, dass sie sich um meinen Apfelgarten kümmert. Sie ist eh schon alt."

Der Tod konnte seiner Liebsten keinen Wunsch abschlagen und so machte er sich auf den Weg zu der Apfelbäuerin.

Die alte Frau staunte nicht schlecht, als sie die Türe öffnete und der Sensenmann vor ihr stand.

"Mach dich bereit, mit mir zu gehen. Ich bin gekommen, dich zu holen. Frau Holle braucht dich dringend in ihrem Apfelgarten."

Die alte Frau sah den Tod lange nachdenklich an, dann meinte sie: "Ich glaube nicht, dass ich mit dir gehe. Denn wenn du sagst, dass Frau Holle mich in ihrem Apfelgarten braucht, und nicht, dass meine Zeit um ist, dann ist meine Zeit wohl noch nicht um. Stimmt's?"

Der Tod blickte verlegen auf seine knochigen Füße. Er kann nicht lügen.

"Also stimmt's. Nun denn, ich bleibe."

Die Alte wollte schon die Türe schließen, da steckte der Tod seinen Fuß dazwischen.

"Halt! Du hast ja keine Ahnung, was Frau Holle – was ist, wir könnten drum spielen? Gewinne ich, kommst du mit mir, gewinnst du, bleibst du hier."

"Ein Spiel? Nun gut, komm herein."

Und so setzten sie sich in die Küche, und während der Tod die Karten mischte, schenkte die Alte Wein ein. Der Tod war sich seines Sieges sicher, hatte er doch schon gegen unzählige Menschen gewonnen. Was er jedoch nicht wusste, war, dass das Haus der Alten an einer Heeresstraße lag und sie von Kindesbeinen an gegen Soldaten gespielt hatte. Sie kannte alle Tricks.

Sie gewann das erste Spiel. Der Tod bestand auf einer weiteren Partie, doch auch die gewann die Alte.

"Unmöglich!", sagte der Tod. "Das muss am Wein liegen!" Und er nahm noch einen kräftigen Schluck.

"Ein Spiel noch, und das gilt!"

"Gerne", sagte die Alte. "Ein letztes Spiel. Ich spiele nie mehr als drei Partien."

Auch diese Partie verlor der Tod und so blieb ihm nichts Anderes übrig, als ohne die Alte zu Frau Holle zurückzukehren.

Dort konnte er sich etwas anhören! Unfähig sei er, ein elendiger Spieler, ein Säufer, und er brauche gar nicht glauben, dass er des Nachts zu Frau Holle in die Kammer dürfe!

Was blieb dem armen Tod anderes übrig, als erneut die Apfelbäuerin aufzusuchen.

"Ich dachte, ich habe gewonnen?", sagte die Alte, als sie ihm die Tür öffnete.
"Ja, schon, aber du hast ja keine Ahnung. Frau Holle – ach, lass uns doch kegeln, ja?"
"Kegeln? Gerne! Im Keller gibt es eine Kegelbahn."
Das hätte dem Tod zu denken geben müssen. Als sie im Keller angekommen waren, schenkte die Alte wieder Wein ein. Der Tod betrachtete die Bahn wohlwollend, dann meinte er: "Deine Bahn, meine Kugel."
Und er zog einen Totenkopf aus seinem Umhang. Damit gewann er immer. Die Menschen waren so verschreckt, dass sie nicht fähig waren, einen geraden Wurf zu machen. Doch die Alte zuckte nicht einmal zusammen. Sie steckte ihre Finger in die Löcher von Augen und Nase, holte aus und warf. Die Kugel rollte – und traf alle Neune.
Der Tod seufzte und nahm einen Schluck Wein. Dann warf er – ebenfalls alle Neune.
Sie stießen miteinander an. Nun war der Tod zuerst dran, erneut schaffte er alle Neune, doch der neunte Kegel wäre beinahe stehen geblieben. Als die Alte ohne Zögern wieder alle Kegel umwarf, da wusste der Tod, dass er so nicht gewinnen würde.
"Ein letztes Spiel", sagte die Alte. "Du weißt, ich spiele nie mehr als drei Partien."
Sie holte aus. In dem Moment, wo ihr Arm nach

vorne schwang, machte der Tod eine kleine Bewegung und schüttete etwas von dem Wein auf ihren Arm. Sie zuckte, die Kugel kam schief. Sie rollte und rollte, immer schiefer und schiefer, und traf nur vier Kegel. Der Tod schenkte sich grinsend ein weiteres Glas ein.

Als die Alte die Kegel wieder aufstellte, nahm sie ein wenig Lehm vom Boden und klebte ihn innen in den Totenkopf. Lächelnd gab sie die Kugel an den Tod, der holte aus, die Kugel rollte, kam schief, immer schiefer – und warf nur drei Kegel um.
Frustriert schnappte sich der Tod die Flasche Wein und machte sich auf den Weg zu Frau Holle.
"Du und deine Spiele, deine Wetten! Bist du denn nicht fähig, mit den Menschen einfach zu verhandeln, zu reden? Das kann doch wohl nicht so schwer sein! Ach vergiss es, vergiss es und meine Kammer vergiss auch!"

Da machte sich der Tod erneut auf den Weg zu der Alten.

"Hast du noch immer nicht genug? Wart, ich hol den Wein."
"Nein", sagte der Tod, "lass uns nur reden. Sieh, die Sache ist die: Bring ich dich nicht zur Frau Holle, ist sie wütend und lässt mich nicht in ihre Kammer. Nun ist es so, ich bin zwar der Tod, aber auch nur ein Mann, und ich hab meine Bedürfnisse. Und du wirst verstehen, bei meiner Arbeit, da brauche ich umso mehr ein wenig Liebe und Zuneigung. Und wenn ich das nicht bekomme, dann werde ich unkonzentriert

und unleidlich, und dann töte ich einfach ohne Plan und System."

"Aha", sagte die Alte, "und was ist daran anders als sonst?"

"Nun, du verstehst nicht. Auch Frau Holle wird unleidlich, wenn sie auf mich wütend ist. Dann nimmt sie ihre Kissen und schlägt auf sie ein, dass ihr hier auf Erden in einem Schneesturm untergeht."

"Ach, das macht nichts", sagte die Alte. "Die Ernte ist eingebracht, ich habe nichts dagegen, gemütlich im Haus zu sitzen."

"Ja verdammt noch mal!", rief der Tod. "Kannst du nicht einfach mit mir mitkommen? Bitte, tu mir den Gefallen. Komm mit, sieh es dir an. Vielleicht gefällt es dir ja in Frau Holles Apfelgarten, es ist wirklich nett dort. Und wenn es dir nicht gefällt, dann verspreche ich, dass ich dich gleich wieder hierher zurückbringe. Wenn du nur vielleicht vorher Frau Holle ein paar Ratschläge gibst, damit sie nicht mehr böse ist auf mich."

"Also, wenn du so nett bittest … und wenn du es versprichst."

"Natürlich, du weißt doch, dass ich nicht lügen kann."

Im nächsten Moment befanden sie sich vor dem großen, schmiedeeisernen Tor, das zu Frau Holles Apfelgarten führte.

"Wahrlich, das könnte ein prächtiger Apfelgarten sein!", meinte die Alte. "Es wäre eine Freude, hier zu arbeiten und die Bäume gesund zu pflegen. Aber dennoch, nein, bring mich zurück."

"Was? Aber es gefällt dir doch! Warum willst du dann

zurück?"", rief der Tod überrascht.

"Sieh dich doch um, Tod."

Der Tod sah sich um, aber er konnte nichts entdecken, das etwa ungewöhnlich, hässlich oder abschreckend wäre. Fragend sah er die Alte an.

Die meinte seufzend: "Sieh doch! Da sitzt Frau Holle und rund um sie all diese schlanken Frauen, eine jünger und schöner als die andere. Und da soll ich bleiben, mitten unter ihnen, ich altes, fettes Weib? Nein, wirklich nicht!"

Tod blickte die Alte mit großen Augen an. "Hab ich denn nicht erwähnt, dass jeder Mensch in Frau Holles Apfelgarten so jung und schön ist, wie er will?"

Zorn funkelte aus den Augen der Alten: "Das ist ja wieder einmal typisch! Das Wichtigste vergesst ihr Männer immer!"

Und mit einem Sprung war die Alte durch das Tor in Frau Holles Apfelgarten geeilt.

29

Silberbaum und Goldbaum

Es war einmal vor langer, langer Zeit, da lebte eine Königin namens Silberbaum und sie war wunderschön. Sie hatte eine Tochter, Goldbaum, die war wohl ebenso so schön wie ihre Mutter. Als Goldbaum nun zu einer jungen Frau heranwuchs, ging ihre Mutter eines Tages zur Sommersonnwend spazieren. Da es heiß war, wanderte sie in den schattigen Wald. Sie kam zu einem kleinen Teich und bewunderte ihr Spiegelbild – oh, sie war wahrlich eine schöne Frau! Als sie beim Zufluss eine Forelle schwimmen sah, sprach sie: "Sag mir, liebes Fischlein, Forelle am Quellengrund, bin ich nicht die schönste Königin auf dem weiten Erdenrund?"

Da sprang die Forelle aus dem Wasser und antwortete: "Ich sag's dir ins Gesicht, die Schönste bist du nicht!"

"Wer ist es denn?", fragte die Königin entsetzt.

"Wer sollte denn wohl schöner sein? Goldbaum ist's, dein Töchterlein!"

Silberbaum eilte heim, und vor lauter Wut und Verzweiflung, nicht die Schönste zu sein, wurde sie krank. Kein Arzt konnte ihr helfen und sie lag schwach und leidend im Bett. Der König machte sich große Sorgen und eines Morgens setzte er sich zur Königin ans Bett und fragte sie, ob es denn gar nichts gäbe, um sie wieder gesund zu machen.

"Ach", seufzte seine Frau, "ich denke ich muss sterben, wenn du mir nicht Goldbaums Herz zu essen gibst."

Da war der König sehr verzweifelt. Er liebte seine Frau und er liebte seine Tochter. Sollte er wirklich die eine der anderen opfern?

Wie es das Schicksal so wollte, kam just an jenem Tag ein junger Prinz aus einem fernen Land an das Schloss. Er hatte von Goldbaums Schönheit gehört und wollte sie zur Frau nehmen. Der König willigte sofort ein, unter der Bedingung, dass der Prinz Goldbaum sogleich mitnähme und nie wieder mit ihr hierher käme. Und so geschah es.

Dann schickte der König seinen Jäger in den Wald, einen Hirsch zu schießen. Abends brachte er der Königin nun das Herz des Hirschen, sagte aber, es sei Goldbaums Herz. Am nächsten Morgen war die Königin wieder gesund und munter.

Ein Jahr verging und zur Sommersonnwend ging die Königin wieder im Wald spazieren und kam zu dem kleinen Teich mit der Quelle. Zufrieden blickte sie auf ihr Spiegelbild – war sie seit dem letzten Jahr nicht noch schöner geworden? Da sah sie erneut die Forelle.

"Sag mir liebes Fischlein, Forelle am Quellengrund, bin ich nicht die schönste Königin auf dem weiten Erdenrund?"

Gleich sprang die Forelle aus dem Wasser und antwortete: "Ich sag's dir ins Gesicht, die Schönste bist du nicht!"

"Wer ist es denn?"

"Wer sollte denn wohl schöner sein? Goldbaum ist's, dein Töchterlein!"

"Aber das kann nicht sein, Goldbaum ist seit einem Jahr tot!"

Da machte die Forelle einen kleinen Luftsprung und schlug mit der Schwanzflosse auf das Wasser – es klang, als würde sie lachen. Nun wusste die Königin, dass ihr Mann sie betrogen hatte.

Wütend kehrte sie ins Schloss zurück und stellte den König zur Rede. Sie tobte und schrie, dass dem König angst und bang wurde. Als er gestanden hatte, verlangte sie eines seiner Schiffe und machte sich auf den Weg zur Insel des Prinzen.

Der Prinz war gerade auf der Jagd, als Goldbaum das Schiff ihres Vaters auf dem Meer erkannte. Voll Freude griff sie zum Fernrohr, doch als sie ihre Mutter am Steuerrad stehen sah, da bekam sie große Angst und sprach zu ihrer Dienerin: "Was soll ich tun? Meine Mutter trachtet mir nach dem Leben und mein geliebter Mann ist zur Jagd!"

Die Dienerin nahm sie an der Hand, führte sie ins oberste Turmgemach, sperrte sie dort ein und steckte sich den Schlüssel ins Mieder. Dann verbargen sie und alle Bediensteten sich im dunkelsten Eck des Weinkellers.

Als Silberbaum das Schloss betrat, war es völlig verlassen. Die Königin durchsuchte alle Räume.

Sie betrat auch den Weinkeller, doch der modrige Geruch ließ sie schaudern. Schließlich kam sie zum verschlossenen Turmzimmer. Als sie die Türe nicht öffnen konnte, spähte sie durchs Schlüsselloch hinein. "Goldbaum, liebste Goldbaum, bist du da drin? Ich bin gekommen, dich um Verzeihung zu bitten, öffne die Tür!"

Fast wäre Goldbaum schwach geworden, doch zum Glück hatte die Dienerin den Schlüssel an sich genommen und sich im Keller versteckt, sodass Goldbaum die Türe nicht öffnen konnte.

"Ach Mutter, die Tür ist versperrt und ich kann nicht hinaus."

"Nun, so strecke zumindest deinen kleinen Finger durch das Schlüsselloch, damit ich ihn küssen kann." Goldbaum tat es und die Mutter stach ihr eine vergiftete Nadel in den Finger.

Als der Prinz am Abend von der Jagd zurückkehrte, fand er Goldbaum wie tot im Turmzimmer liegen. Wie war seine Trauer groß! Er rief verzweifelt alle Ärzte seines Reichs, doch keiner von ihnen konnte seine geliebte Frau wiederbeleben.

Er ließ Goldbaum im Turmzimmer aufbahren und ging Abend für Abend zu ihr. Zusätzlich zu seinem Verlust betrübte ihn, dass Goldbaum ihm keinen Erben hinterlassen hatte. Ein Prinz braucht einen Erben, und so heiratete er bald wieder. Seine zweite Frau durfte überall im Schloss herrschen, nur den Schlüssel zum Turmzimmer, den behielt der Prinz bei sich. Eines Tages jedoch, als er wieder auf die Jagd gehen wollte, schüttete er kurz bevor er wegging Milch auf seinen Jagdrock und musste sich noch einmal umkleiden. In der Eile vergaß er, den Schlüssel aus der Jackentasche zu nehmen und seine zweite Frau fand ihn, als sie seinen achtlos aufs Bett geworfenen Jagdrock zur Wäsche bringen wollte.

Natürlich wollte sie wissen, was sich hinter der verschlossenen Türe befand. Neugierig öffnete sie das Turmzimmer. Und sie erblickte Goldbaum. Interessiert betrachtete sie ihre Vorgängerin genau. Dabei entdeckte sie auch die Nadel, die in Goldbaums kleinem Finger steckte, und die keiner der Ärzte gefunden hatte. Sie zog sie heraus und im nächsten Moment öffnete Goldbaum die Augen.

Am Abend war die Freude des Prinzen unermesslich groß, als Goldbaum ihn in seinem Zimmer erwartete! Sie umarmten und küssten sich, und der Prinz war so selig, dass er damit gar nicht mehr aufhören wollte. Die zweite Frau stand daneben und meinte: "Goldbaum war die Erste, sie hat die älteren Rechte. Drum ist es wohl besser, ich gehe wieder heim zu meinem Vater."

Doch davon wollte der Prinz nichts wissen, er wollte sie beide behalten, und was soll ich sagen, die beiden Frauen stimmten zu.

Und wieder wurde es Sommersonnwend und Königin Silberbaum ging zu der Quelle.

"Sag mir liebes Fischlein, Forelle am Quellengrund, bin ich nicht die schönste Königin auf dem weiten Erdenrund?"

Da sprang die Forelle aus dem Wasser und antwortete: "Ich sag's dir ins Gesicht, die Schönste bist du nicht!"

"Wer ist es denn?"

"Wer sollte denn wohl schöner sein? Goldbaum ist's, dein Töchterlein!"

"Aber nein, ich hab sie doch selbst vergiftet! Sie ist tot!"

Wieder lachte der Fisch und wieder nahm die Königin ein Schiff und machte sich auf den Weg.

Und wieder war der Prinz auf der Jagd, als die Königin kam.

Und wieder bekam Goldbaum Angst um ihr Leben, doch die zweite Frau meinte: "Lass uns deiner Mutter am Strand entgegen gehen."

Silberbaum verließ lächelnd das Schiff und sprach: "Goldbaum, liebste Tochter, wie schön dich zu sehen! Siehe, ich hab dir einen Trunk zur Versöhnung mitgebracht!"

Und sie hielt ihrer Tochter einen goldenen Becher entgegen. Ehe Goldbaum den Becher nehmen konnte, sagte die zweite Frau: "In unserem Land ist es Sitte, dass wer einen Trunk reicht, selbst zuerst davon trinkt."

Die Königin lächelte die beiden Frauen an, setzte den Becher an ihre Lippen und tat so, als würde sie trinken. Da gab ihr die zweite Frau einen Stoß in den Rücken, die Königin verschluckte sich und schluckte den giftigen Trank. Sowie ihr das Gift durch die Kehle lief, begann sie zu schrumpfen. Immer kleiner wurde sie, bis am Ende nur noch ein kleiner, silberner Baum im Sand stand. Goldbaum und die zweite Frau trugen das Bäumchen ins Schloss und stellten es neben den Kamin. So ließ es sich mit Silberbaum leben, und jedes Jahr zu Weihnachten schmückten sie den Baum aufs Prächtigste. Es war wahrlich der schönste Silberbaum im ganzen Erdenrund!

Der Prinz aber lebte noch lange Zeit glücklich mit seinen beiden Frauen in Freude und Frieden. Und dort hab ich ihn auch gelassen, denn er wollte mit niemandem hier tauschen.

Deirdra und der Kobold

Einst lebten Deirdra und David gemeinsam mit Deirdras Eltern in einem kleinen Häuschen am Waldesrand. Wie die meisten Menschen jener Zeit waren sie arm. David ging jeden Tag in den Wald und fällte für seinen Herrn, dem der Wald gehörte, Bäume. Das Reisig durften sie zum Heizen verwenden und manchmal fiel auch ein Stück Baumstamm ab, aus dem David dann Möbel tischlerte. Er war ein geschickter junger Mann.

Früher hatte Deirdras Vater diese Arbeit gemacht, doch inzwischen war er alt und gebrechlich. Nun begleitete er David nur noch und klaubte die kleinen Äste in seine Rückentrage. Deirdras Mutter hingegen war früher jeden Tag mit ihren Kindern auf den Hügel neben dem Haus gestiegen, um den Sonnenuntergang zu betrachten. Egal wie viel Arbeit sie hatte, dafür fand sie jeden Abend Zeit. Doch im Laufe der Jahre waren ihre Augen schwächer und schwächer geworden, und inzwischen war sie völlig erblindet. Die meiste Zeit saß sie in ihrem Schaukelstuhl vor dem Haus, doch wenn es Abend wurde, dann ließ sie sich immer noch von Deirdra auf den Hügel führen. Sie konnte die Sonne zwar nicht mehr sehen, doch sie konnte spüren, wie die Wärme ihrer Strahlen langsam ihren Körper hinunter wanderte.

So war es an Deirdra, dafür zu sorgen, dass sie Essen auf dem Tisch hatten. Sie versorgte die Hühner und die Ziege und kümmerte sich um den Gemüsegarten und die Obstbäume.

Sie war mit ihrem Leben trotz aller Sorgen und

Mühen zufrieden. Nur eines gab es, das sie sich gemeinsam mit David sehnlichst wünschte: einen Sohn. Doch was sie auch taten, kein Kind wollte unter Deirdras Herzen wachsen.

Eines Tages stand Deirdra gerade im Gemüsegarten und harkte das Unkraut, da schien es ihr, als hätte sie im Augenwinkel eine Bewegung wahrgenommen.
"Gewiss eine Maus", dachte sie. Doch als sie hinblickte, da sah sie – einen kleinen Mann, kaum größer als ihre Hand, der hastig zwischen dem Gemüse dahinhuschte.
"Ein Kobold!", durchfuhr es Deirdra. "Ich habe einen Kobold gesehen!"
Der kleine Mann sprang hinter einen Krautkopf und versteckte sich unter einem der großen, violetten Blätter. Da spürte Deirdra auch bereits einen Schatten über sich und vernahm das vertraute Kreischen eines Habichts auf der Suche nach Futter. Sie blickte nach oben. Tatsächlich, der majestätische Vogel zog seine Kreise, aufmerksam nach unten spähend. Langsam stieg er höher und höher, als er seine Beute nicht entdecken konnte, bis er nur noch ein winziger Punkt am blauen Himmel war.
Der Kobold nutzte die Gelegenheit, sprang unter seinem Blatt hervor und rannte auf den Zaun zu, hinter dem der große, schützende Wald lag. Die Brombeerranken, die sich ringsum durch den Zaun hindurchschlängelten, wurden sein Verhängnis. Er blieb hängen, stolperte, zerrte, doch er saß fest, gefangen wie eine Fliege im Spinnennetz.
Der Habicht hatte dies sehr wohl gesehen und stürzte mit angelegten Flügeln herab. Ohne nachzudenken,

ergriff Deirdra ihre Harke, stellte sich vor den kleinen Kobold und schrie und brüllte, die Harke gegen den Habicht schwenkend. Der Vogel bremste seinen Flug, flatterte noch kurz in der Luft stehend, ehe er kreischend und verärgert davonflog. Deirdra hatte es geschafft, sie hatte den Habicht verjagt.

Neugierig kniete Deirdra sich zu dem kleinen Mann. Es war tatsächlich ein Kobold! Ach, was war er doch entzückend! Mit winzigen kleinen Schühchen, aus Haselnussschalen gefertigt. Mit einer winzigen braunen Hose und einem winzigen grünen Jäckchen. Dann dieses hübsche, zarte Gesichtchen, mit den spitzen kleinen Öhrchen und den lockigen blonden Haaren ... verzückt betrachtete Deirdra dieses zarte Wesen.

Mit gar nicht zarter Stimme brummte es: "Was ist? Hilfst du mir oder willst du mich zu Tode starren?"

"Ich – entschuldige, natürlich -" Eilig machte sich Deirdra daran, den Kobold aus dem Dorngestrüpp zu befreien.

Immer noch brummend und grummelnd putzte sich der Kobold die Jacke ab. "Jetzt wirst du natürlich einen Wunsch haben wollen für deine Hilfe, nicht?"

"Einen Wunsch?" Daran hatte Deirdra überhaupt nicht gedacht. Doch ja, die Legende sagte, wenn man einen Kobold sah, dann durfte man sich von ihm etwas wünschen.

"Ja, einen Wunsch, sagte ich doch. Bist du etwa taub?"

"Nein, natürlich nicht. Also ja, gerne!"

"Dacht ich mir's." Der kleine Mann griff in seine winzige Jackentasche, doch ehe er etwas herauszog, erhob er den Finger gegen Deirdra. "Aber dass das klar ist, nur ein einziger Wunsch, ja? Ist ja nicht so, als ob du mir das Leben gerettet hättest."

"Also eigentlich finde ich schon ...", begann Deirdra, doch als sie den bösen Blick des Kobolds sah, verstummte sie. "Ein Wunsch, natürlich, nicht mehr."

Erneut griff der Kobold in seine Jackentasche, erneut zog er die Hand wieder heraus und streckte den Zeigefinger gegen Deirdra. "Und das sag ich dir gleich, sich mit dem einen Wunsch noch mehr Wünsche wünschen, das gilt nicht!"

"Natürlich, auf die Idee wäre ich nie gekommen", versicherte Deirdra.

Endlich zog der Kobold eine winzige Kugel aus seiner Tasche und hielt sie Deirdra entgegen. Die Kugel strahlte wie eine erbsengroße Sonne. Ehe Deirdra jedoch danach greifen konnte, drehte der Kobold seinen Körper weg, als wolle er seinen Schatz beschützen. "Und eines noch, wünsche klug!" Er lachte hämisch. "Als ob ihr Menschen dazu fähig wäret, aber versuche es zumindest!"

Damit legte er Deirdra die winzige Kugel auf die ausgestreckte Handfläche. Vorsichtig schloss Deirdra ihre Finger um den Schatz. Als sie aufblickte, war der kleine Mann verschwunden.

Sie hatte einen Kobold gesehen und einen Wunsch erhalten! Eilig lief sie zum Haus, rief schon von Weitem: "Mutter, Vater, David! Ich habe einen Kobold gesehen!"

David, der gerade aus dem Wald kam, eilte ihr entgegen.

"Du hast wirklich einen Kobold gesehen?", fragte er

ungläubig, denn er hatte davon nur in Märchen gehört.

"Ja, und er hat mir einen Wunsch gegeben!" Deirdra hielt ihm ihre geschlossene Faust entgegen. Sie wagte es nicht, ihre Hand zu öffnen, vor lauter Angst, dass der Wind ihren Wunsch davonwehen könnte.

"Oh Deirdra! Das ist wunderbar! Deirdra, wir können uns einen Sohn wünschen, einen gesunden, fröhlichen Sohn, der mir später im Wald helfen kann!"

Angelockt von Deirdras Rufen war ihre Mutter aus dem Haus getreten.

"Papperlapapp!", sagte sie nun. "Einen Sohn, so ein Blödsinn! Wozu wollt ihr einen Sohn haben, wenn ich ihn nicht sehen kann! Nein Deirdra, du musst mir mein Augenlicht wünschen, das schuldest du mir als Tochter!"

Auch Deirdras Vater war zu der Gruppe gestoßen.

"Augenlicht, lächerlich! So schön ist das, was es hier zu sehen gibt, auch nicht. Nein, Deirdra, du musst dir Geld wünschen! Gold, Silber, Diamanten! Was wollt ihr einen Sohn haben, wenn ihr ihn nicht ernähren könnt? Reichtum, das ist alles, was zählt!"

"Nein, ein Sohn!", rief David dazwischen.

"Nein, mein Augenlicht!", schrie Deirdras Mutter und schon war der schönste Streit im Gange.

"Halt!", rief Deirdra. "Hört auf zu streiten! Dieser Wunsch ist ein Geschenk, und wir müssen ihn klug verwenden."

Sie wandte sich von ihrer Familie ab und stieg auf den Hügel neben dem Haus. Während sie dort saß und nachdachte, fielen ihr die vielen Abende ein, die

43

sie hier mit ihrer Mutter verbracht hatte. Eben machte sich die Sonne bereit unterzugehen und färbte sich golden. Da fiel die Lösung Deirdra wie ein reifer Apfel in den Schoß. Aufgeregt sprang sie auf und lief zurück zu ihrer Familie, die immer noch streitend vor dem Haus stand.

"Ich weiß, was ich mir wünsche!"

"Einen Sohn?" - "Mein Augenlicht?" - "Gold?"

"Wartet, wartet!" Deirdra öffnete ihre Hand, sodass sie alle die leuchtende Kugel sehen konnten. Schweigen breitete sich aus.

"Ich wünsche", sagte Deirdra feierlich, "ich wünsche, dass meine Mutter mit ihren eigenen Augen meinen gesunden Sohn in seiner goldenen Wiege sieht."

Und so geschah es. Einige Wochen später stellte Deirdra fest, dass sie schwanger war. Und je mehr ihr Bauch wuchs, umso besser wurden die Augen ihrer Mutter, sodass diese an dem Tag, als Deirdras Sohn geboren wurde, wieder ausgezeichnet sehen konnte. Und als sie dann Deirdras Sohn in die Wiege legten, die David für ihn gebaut hatte, da war die Wiege aus massivem Gold.

So hatte Deirdra mit nur einem Wunsch alle glücklich gemacht.

Die Braut des Todes

Es war einmal vor langer Zeit, als der Tod noch am Leben war, da lebte eine junge Frau mit ihren beiden Brüdern und ihren Eltern auf einem kleinen Bauernhof. Sie waren arm, und die beiden Brüder stritten um jeden Bissen Brot und jedes Stück Fleisch. Eines Tages war im Dorf ein großes Fest. Die Musik war laut und wild und fröhlich, und gerade, als alle ausgelassen tanzten, da stürmte ein Reiter auf den Platz. Später würden die einen sagen, er wäre auf einem Pferd geritten, das war schwarz wie die Nacht. Andere meinten, es wäre grau wie der Nebel gewesen, und wieder andere sprachen von weiß wie der hellste Sonnenschein. Auch über den Reiter war man geteilter Ansicht. Alt und hässlich wäre er gewesen, ein kleines Kind, ein dürres Männchen. Wie auch immer, er stürmte mitten unter die Tänzer und schnappte die beiden Brüder, die gerade um ein Mädchen stritten, packte sie an ihren Krägen, zog sie auf sein Pferd und preschte mit ihnen davon.

Große Aufregung herrschte, und wer auch immer ein Pferd besaß, schwang sich darauf und ritt dem geheimnisvollen Fremden nach, um die Brüder zu retten. Doch so schnell sie auch ritten, sie konnten ihn nicht einholen und verloren seine Spur tief im Wald, der das Dorf umgab.

Da herrschte große Trauer, und an Feiern war nicht mehr zu denken.

Weinend gingen die Schwester und ihre Eltern nach Hause. Hatten ihre Brüder auch viel gestritten, sie waren fleißige Arbeiter gewesen und immer freundlich zu ihrer Schwester.

Diese konnte die Nacht über nicht schlafen. Denn auch sie hatte den Fremden gesehen, ja, er hatte ihr direkt in die Augen geblickt. Und es war das schönste und liebenswerteste Gesicht gewesen, das sie je gesehen hatte. Mit glänzenden Locken, strahlenden Augen und einem zarten Lächeln. Er musste gewiss ein Edelmann sein, in seinen prächtigen Kleidern.

Als sie am nächsten Morgen zu den Eltern an den Frühstückstisch trat, da stand ihr Entschluss fest.

"Vater, Mutter, weint nicht mehr. Ich werde losziehen, meine Brüder zu suchen. Und ich bin sicher, ich werde sie finden."

Die Eltern wollten davon nichts wissen. Hatten sie doch soeben erst ihre Söhne verloren, sollten sie nun ihr letztes Kind auch verlieren? Doch die Tochter blieb bei ihrem Entschluss. "Ich werde meine Brüder und den geheimnisvollen Fremden finden. Macht euch keine Sorgen, es wird mir nichts geschehen."

Als die Eltern einfach nicht zustimmen wollten, da schlich sich die Schwester in der Nacht heimlich aus dem Haus. Sie folgte den Spuren der Pferde bis tief in den Wald. Bei einem Felsen endeten die Hufabdrücke, und nichts deutete darauf hin, wohin ihre Brüder verschwunden waren.

Suchend marschierte und marschierte die Schwester, die ganze Nacht und einen ganzen Tag, bis sie zu einem kleinen Häuschen kam. Müde klopfte sie an. Eine alte, runzelige Frau öffnete. Das junge Mädchen bat um Nachtquartier, das ihr die Alte gerne gewährte. Bei einem bescheidenen Mahl erzählte sie von ihrer Not. "Habt ihr eine Ahnung, wer der fremde Schöne gewesen sein kann, der meine Brüder entführt hat?" - "Tut mir leid mein Kind, ich weiß es nicht. Doch du kannst gerne hier übernachten."

Das Mädchen rollte sich auf der Ofenbank zusammen und schlief ein. Doch mitten in der Nacht erwachte sie wieder, voll Sorge um ihre Brüder. Und wie sie da so lag und sich im Mondenschein in der Stube umblickte, da entdeckte sie einige Kleidungsstücke, die waren voller Löcher und Risse. Da setzte sie sich hin und flickte die Gewänder, um sich von ihrem Kummer abzulenken.

Die Alte freute sich, als sie am Morgen das geflickte Gewand sah. "Oh, hab vielen Dank, du bist ein gutes Mädchen. Geh doch den Weg nach Westen weiter, da kommst du zum Haus meiner Schwester, vielleicht kann sie dir helfen. Und als Dank für deine Hilfe will ich dir diesen Vogel mitgeben, er wird dir den Weg weisen, damit du dich nicht verirrst."

Und so folgte das junge Mädchen dem Vogel, immer tiefer in den Wald hinein. Endlich, am Abend, da erreichten sie erneut eine Hütte. Wieder klopfte das Mädchen, und eine noch viel ältere und noch viel runzligere Frau öffnete ihr. Wieder wurde sie freundlich aufgenommen. Auch in dieser Nacht fand sie keinen Schlaf, und so setzte sie sich an das Spinnrad und spann der Alten Garn. "Hab vielen Dank für deine Hilfe!", sagte die Alte, als sie erwachte. "Gehe zu meiner Schwester im Norden, ich habe das Gefühl, dass sie weiß, wen du suchst. Hier, als Dank will ich dir dieses Brot mitgeben, damit wirst du nie mehr hungrig sein."

Erneut machte sich das Mädchen auf und folgte dem Vogel. Viele Tage musste sie gehen, doch dank des Brotes litt sie nie Hunger. Endlich erreichten sie eine Hütte. Eine noch viel ältere Frau öffnete. Das Mädchen erzählte von den entführten Brüdern und die Alte sprach: "Oh, ich denke ich weiß, wen du suchst. Komm nur herein und ruhe dich aus, du hast noch einen schweren Weg vor dir."

In dieser Nacht erwachte das Mädchen erneut, und sie ging hinters Haus und hackte der alten Frau Holz.

"Hab Dank", sagte diese beim Aufwachen. "Hier, nimm diesen Stab. Folge dem Vogel meiner jüngsten Schwester noch weiter nach Norden, bald wirst du auf einen großen Felsen stoßen, der leuchtet fast weiß. Schlage zweimal mit dem Stab dagegen, dann wird sich dir der Weg zeigen."

Das Mädchen folgte dem Vogel und sie kam zu einem weißen Felsen. Als sie mit dem Stab dagegenschlug, da öffnete sich der Fels und gab einen Weg in die Tiefe frei. Dunkel und eng wirkte er, doch das Mädchen ging ohne zu zögern hinein. Bald öffnete sich der Tunnel zu einer herrlichen, prächtigen Wiese. Blumen blühten in allen Farben, Obstbäume standen in voller Blüte, Vögel zogen singend über den Himmel. In der Ferne entdeckte das Mädchen ein Haus, wie sie immer geträumt hatte, dass ein Haus aussehen sollte. Niemand war darin, doch im Kamin glühte noch etwas Kohle. Ob hier wohl der wunderschöne Mann lebte, der ihre Brüder entführt hatte? Sie machte sich daran, aus den Vorräten Essen zu kochen. Der Duft zog durch die Fenster nach draußen und nach einer Weile stand tatsächlich der schöne Fremde vor ihr.

"So hast du mich denn gefunden", sagte er.

"Ja", antwortete das Mädchen. "Und ich werde nicht gehen, ehe ich meine Brüder gesehen habe."

"Nun", sagte der Fremde, "ich muss zurück zu meiner Arbeit. Aber wenn du willst, so kannst du mich begleiten. Doch unter einer Bedingung: Du darfst mit niemandem außer mir reden."

So gingen sie los. Bald kamen sie zu einer Wiese, die war fett und saftig. Doch die beiden Kühe, die darauf standen, die waren so mager, dass man ihre Rippen zählen konnte. Da fragte das Mädchen ihren Begleiter: "Ach sagt doch, was ist mit diesen armen Kühen, dass sie so mager sind?" Der Fremde antwortete nicht, doch die Kühe hoben ihre Köpfe und sagten "Vergelts Gott!"

Etwas später kamen sie zu einer Wiese, die war mager und dürr, doch die beiden Kühe, die darauf standen, die waren fett und prächtig. "Ach, sagt doch, warum müssen diese armen Kühe auf so einer dürren Weide stehen?" Wieder antwortete der Fremde nicht, doch die Kühe hoben den Kopf und sagten "Vergelts Gott!"

Schließlich kamen sie zu einem Fluss, an dessen Ufer standen zwei Bäume, die schlugen aufeinander ein, dass ihre Blätter und Äste nur so durch die Gegend flogen. "Ach, sagt doch, was ist mit diesen Bäumen? Sagt ihnen, sie sollen aufhören, sich zu schlagen, ehe sie ganz kahl sind!" Der Fremde antwortete nicht, doch die Bäume riefen "Vergelts Gott!"

Schließlich kamen sie zu einer Kapelle, in die ging der Fremde hinein, und er begann, einen Psalm zu singen. Da kamen lauter kleine Vögel geflogen und setzten sich in die Bänke. Als der Fremde jedoch zu singen aufhörte, so fanden sie den Weg hinaus nicht mehr. Da sprang das Mädchen auf, zerbröselte das Brot, das sie von der mittleren Schwester bekommen hatte, und legte den Vögeln eine Spur zur Türe. Pickend folgten die Vögel den Brotkrümeln, flatterten bei der Tür hinaus und flogen mit einem "Vergelts Gott!" hoch in den Himmel hinauf.

Schließlich folgte das Mädchen dem Fremden zurück in sein Haus, und am Heimweg war nichts mehr von Bäumen oder Kühen zu sehen. Als sie dann beim Essen saßen und das Mädchen kaum seinen Blick von dem wundersamen Fremden nehmen konnte, da fasste es Mut und fragte: "Wollt ihr mir nicht erklären, was ich heute gesehen habe, und mir meine Brüder zeigen?"
"Ja", sagte der Fremde, "das will ich. Wisse, ich bin der Tod, und dies ist mein Reich. Die mageren Kühe auf der fetten Weide, die du gesehen hast, das waren Reiche, die nie genug bekommen konnten, egal, wie viel sie schon hatten. Die fetten Kühe hingegen, das waren die Armen, die aus dem Wenigen, was ihnen gegeben war, das Beste gemacht hatten. In der Kapelle die Vögel, das waren die ungetauften Kinder, von denen die Menschen behaupten, sie landen in der Hölle. Und die beiden Bäume – das waren zwei Menschen, die im Leben immer stritten und nun weiterstreiten müssen, ohne einander ausweichen zu können – das waren deine Brüder. Durch dein Mitgefühl hast du sie alle erlöst, nun steht es ihnen offen, ins Paradies zu gehen oder als Mensch auf die Erde zurückzukehren. Und dorthin musst auch du

jetzt zurückkehren. Erzähl den Eltern, dass es ihren Söhnen nun gut geht. Sie warten auf dich."

Er schenkte dem Mädchen ein Glas Wein ein und stieß mit ihr an. Kaum hatte sie einen Schluck genommen, wurde sie unendlich müde und schlief ein. Als sie erwachte, da fand sie sich vor dem weißen Felsen wieder. Und als sie aufstand, da stellte sie erstaunt fest, dass sie den Kirchturm ihres Dorfes sehen konnte. Rasch lief sie nach Hause und erzählte den Eltern alles. Wie waren die glücklich, ihre Jüngste wieder zu haben! Doch so sehr sich ihre Tochter auch bemühte, ihr Leben wie früher weiterzuführen, sie konnte es nicht. Immer wieder sah sie das liebliche Tal vor sich, das entzückende Haus, das freundliche Lächeln des Todes. So machte sie sich schließlich eines Tages erneut auf zu dem Felsen und klopfte mit dem Stab daran.

Der Tod begrüßte sie mit einer liebevollen Umarmung.

"Liebster Tod, darf ich bei dir bleiben? Das Leben der Menschen kann mich nicht mehr erfreuen. Ich will dir helfen, bei deiner Arbeit hier im Totenreich."

"Ich habe schon lange auf dich gewartet", sagte der Tod. "Du bist willkommen."

Und so kam es, dass der Tod seinen Schrecken verlor, als er das Mitgefühl heiratete.

Der Pechvogel

Es war einmal, vor langer, langer Zeit, da lebte ein Mann, der war ein unglaublicher Pechvogel. Wenn er aufwachte, konnte er sicher sein, dass er verschlafen hatte, weil sein Wecker nicht geläutet hatte. Sprang er dann hektisch aus dem Bett, landete er sicher mit einem Fuß in der Mausefalle unter dem Nachtkasterl. Wenn er dann die Treppe hinunter gestolpert war, konnte er sicher sein, dass das Feuer im Küchenofen ausgegangen war. Schaffte er es, das Feuer wieder in Gang zu setzen, war er gewiss ganz rußig. Schaffte er es nicht, musste er ohne Frühstück in die Arbeit gehen – so er denn eine Arbeit hatte. Am Weg wurde er gewiss von einem Regenguss überrascht, und selbst wenn der Tag nicht voller Katastrophen war, so konnte er sicher sein, dass sein Herr ihm dennoch abends kein Geld zahlte. Bekam er doch einen Lohn, so wurde er gewiss am Heimweg überfallen oder verlor das Geld durch ein Loch in der Hosentasche.

So ging es tagein, tagaus, jahrein, jahraus, und irgendwann hatte der Pechvogel genug davon. Als er sich gerade auf seinen Stuhl setzte und mit dem Stuhl zusammenbrach, da beschloss er, seinem Leben ein Ende zu setzen.
Sobald er jedoch genauer darüber nachdachte, da stellte sich das Unterfangen als nicht so einfach heraus – Pechvogel, der er war, wie leicht konnte da etwas schiefgehen? Würde er sich erhängen, riss gewiss der Strick. Versuchte er sich zu erschießen, träfe er wahrscheinlich nur seinen Fuß. Und nähme er eine mehr als ausreichende Menge Schlaftabletten, so

würde er sie gewiss mit dem Abführmittel verwechseln.

Deshalb beschloss der Pechvogel, sich an einen Fachmann zu wenden, der sich mit dem Sterben auskannte.

Er traf den Pfarrer nach der Messe in der Sakristei, wo dieser gerade die Reste des Messweins vor dem Schlechtwerden bewahrte. Nach einem letzten Schluck war der Pfarrer bereit, sich die Sorgen seines Schäfchens anzuhören.

"Also, Herr Pfarrer, es ist so, wenn ich aufwache, kann ich sicher sein, dass ich verschlafen habe, weil mein Wecker nicht geläutet hat. Spring ich dann hektisch aus dem Bett, lande ich sicher mit einem Fuß in der Mausefalle unter dem Nachtkasterl. Wenn ich dann die Treppe hinunter gestolpert bin, kann ich sicher sein, dass das Feuer im Holzofen ausgegangen ist. Schaff ich es, das Feuer wieder in Gang zu setzen, bin ich gewiss ganz rußig. Schaff ich es nicht, muss ich ohne Frühstück in die Arbeit gehen – so ich denn eine Arbeit habe. Am Weg werde ich gewiss von einem Regenguss überrascht, und wenn der Tag nicht voller Katastrophen ist, so kann ich sicher sein, dass mein Herr mir dennoch abends kein Geld zahlt. Bekomm ich doch einen Lohn, so werde ich gewiss am Heimweg überfallen oder verliere das Geld durch ein Loch in der Hosentasche. So geht das nun tagein, tagaus, jahrein, jahraus, und deshalb will ich mich umbringen. Aber weil das nicht so einfach ist, bitte ich euch um Rat, was ich tun soll."

"Hm", sagte der Pfarrer. "Ich verstehe. Doch die Kirche sieht es nicht gerne, wenn ihre Beitragszahler sich selbst erlösen. Deshalb rate ich dir, in den Wald zu gehen. Dort findest du auf einem Hügel eine große, uralte Eiche. Unter den Wurzeln des Baumes befindet sich der Eingang in eine Höhle. Und in der Höhle – nun, ich würde jetzt gerne sagen, dass dort ein Heiliger sitzt oder zumindest ein frommer Mönch, doch es handelt sich leider um ein weises Weib. Sie weiß alles, sie weiß gewiss auch, warum du soviel Pech hast und was du dagegen tun kannst."

Damit entließ er den Pechvogel, um sich weiter um den Messwein zu kümmern.

Da ihm das Umbringen ja nicht davonlief, machte sich der Pechvogel auf in den Wald. Aber das war damals noch ein richtiger Wald, nicht so wie heute – da eine Fichte, hier eine Fichte und dazwischen schön aufgeräumt. Das war noch ein richtiger Wald, mit Unterholz, das wirklich Holz war, und Dickicht, das richtig dicht war. Da brauchte man schon Mut, wenn man in den Wald ging, denn da gab es auch Tiere, richtige, gefährliche Tiere. Da gab es Wildschweine und Bären und Wölfe.

Der Pechvogel stand am Waldrand und schluckte. Bei seinem Pech, da konnte er sicher sein, dass ihm sofort – und tatsächlich, da stand er schon, direkt vor ihm. Ein Wolf.

"Nun gut", dachte der Pechvogel, "hat sich das mit dem Umbringen von selbst erledigt."

Doch der Wolf, der sprang ihn nicht an. Der stand nur da und schaute. Und wie der Pechvogel genauer hinsah, da stellte er fest, dass das mehr ein Wolferl als ein Wolf war.

Nichts auf den Rippen, nichts auf den Schenkeln,

aber scharfe Zähne im Gesicht.

Das Wolferl, das fragte den Pechvogel zwischen zusammengebissenen Zähnen: "Wer bist du denn, was willst du hier?"

Und da hat der Pechvogel ihm seine Geschichte erzählt, die mit dem Wecker und der Mausefalle, dem Ofen und dem Regen und dem Geld. Und dass er nun zur alten weisen Frau wolle, sie fragen, warum er so viel Pech hat und was er dagegen tun kann.

"Aha", hat da das Wolferl gesagt und den Kopf schief gelegt. "Du – wenn du zu der alten weisen Frau gehst, könntest du sie von mir auch etwas fragen?"

"Aber sicher. Was soll ich sie denn fragen?"

"Schau mich an, ich bin der Schatten eines Wolfes. Ich kann essen was ich will – Eichhörnchen, Spatzen, Mäuse – nie bin ich satt, nie nehm ich zu. Kannst du die alte Frau bitte fragen, was ich tun soll, dass ich mal so richtig satt bin?"

"Ja, gerne, mach ich", sagte der Pechvogel und ist schnell weiter durch den Wald marschiert.

Als er zu Mittag dann schon sehr müde und durstig war – weil durch so ein Dickicht, das ist kein Sonntagsspaziergang – da kam er an einen Weiher. Das Wasser plätscherte klar und fröhlich, kleine Fische machten Luftsprünge, und da setzte er sich ans Ufer, steckte seine schmerzenden, verschwitzten Füße ins kühle Nass und trank ordentlich. Dann hat er sich gedacht, dass es umgekehrt wohl klüger gewesen wäre, erst trinken, dann die Füße hineinhalten, aber er war eben ein Pechvogel.

Und wie er da so saß, da hörte er eine dünne Stimme.

"Wer bist denn du, was willst denn hier?"

Er schaute sich um, aber da war niemand. Wieder das Stimmchen: "Magst mir nicht sagen, wer du bist?"

Da merkte er, dass es der Baum war, unter dem er saß, der da redete. Wobei, das war mehr ein Bäumchen, so ein Krischpinderl von einem Baum, ganz schief und krumm, mit dürren Ästen.

Der Pechvogel erzählte dem Baum seine Geschichte, von der Mausefalle und so weiter und der weisen alten Frau.

Da hat der Krischpindelbaum geseufzt und gefragt: "Sag, magst sie von mir auch etwas fragen?"

"Sicher, gerne."

"Schau mich an, und schau meine Brüder an – sieh wie sie gerade und mächtig in den Himmel wachsen! Und ich kann mich plagen was ich will, das wird einfach nichts. Da steh ich direkt am Wasser, und meine Äste sind so dürr, dass jeder Windhauch meine Blätter davonweht. Kannst die alte Frau fragen, warum ich so ein Krischpinderl bin und ob ich was dagegen tun kann?"

Der Pechvogel versprach's, und nachdem er sich ausgeruht hatte, ging er weiter.

Gegen Abend kam er zu einer Lichtung. Und mitten auf der Lichtung, da war ein Zaun. Und hinter dem Zaun, da war ein Garten, ein wunderschöner Garten. Mit Gemüsebeeten und Obstbäumen, Blumen und einem Teich. In der Mitte des Gartens stand ein kleines Haus, mit grünen Fensterläden. Und vor dem Haus stand ein Bankerl, auf dem saß eine junge Frau – so eine schöne Frau hatte der Pechvogel noch nie gesehen!

Sie bemerkte, dass sie beobachtet wurde, und siehe

da, sie lächelte den Pechvogel an, der ganz verzückt am Zaun lehnte. Und eh man es sich versah, saßen die beiden nebeneinander auf der Bank und plauderten angeregt.

Sie plauderten über das Wetter, die Sonne, den Mond und die Sterne. Und erst als es Morgen wurde, da fragte die junge Frau den Pechvogel, was er denn hier im Wald mache. Als er ihr seine Geschichte erzählt hatte, da meinte sie: "Sag, könntest du die Alte von mir auch etwas fragen?"

"Aber natürlich!", sagte der Pechvogel. "Alles, was du willst!"

"Also, weißt du, hier ist es ja wunderschön und ich hab alles, was ich brauche – Obst und Gemüse und schöne Blumen und ein Haus, das ist weder zu groß, noch zu klein, aber trotzdem, manchmal, ich weiß nicht warum, da bin ich so unendlich traurig. Kannst du die alte Frau fragen, warum ich manchmal so traurig bin und was ich dagegen machen kann?"

So machte sich der Pechvogel weiter auf den Weg und gegen Mittag kam er zu dem Hügel, auf dem die riesige, uralte Eiche stand. Der Pechvogel brauchte eine Stunde, den Baum zu umrunden, so groß war der. Und tatsächlich, zwischen ihren Wurzeln entdeckte er endlich den Eingang in eine Höhle. Als er in die Tiefe gekrochen war, da fand er sich in einem weiten Raum, in dessen Mitte brannte ein Feuer. Dahinter saß eine Gestalt, die war so alt und runzelig, dass es schwer zu erkennen war, ob sie Weiblein oder Mann war. Das musste wohl die weise Alte sein. Und so erzählte der Pechvogel auch ihr seine Geschichte, und sie hörte ihm aufmerksam zu.

Dann schloss sie die Augen und dachte nach. Sie dachte lange nach. Der Pechvogel begann sich schon Sorgen zu machen, dass sie vielleicht gestorben war – bei seinem Pech ja durchaus möglich. Doch da öffnete sie ihre Augen, blickte den Pechvogel an und sagte: "Dein Glück liegt auf deinem Weg."

Hastig bedankte sich der Pechvogel und wollte schon davon eilen, doch dann fielen ihm die Fragen von Wolf und Baum und Frau ein. Er erzählte der Alten von den Drein und stellte deren Fragen, und erhielt für alle eine Antwort.

Gegen Abend war er dann wieder bei der Lichtung mit dem schönen Garten und der schönen Frau. Die beiden verstanden sich noch besser als am Tag davor, und sie plauderten und scherzten. Und erst am nächsten Morgen, als der Pechvogel in sein Gewand schlüpfte, da fragte die junge Frau: "Sag, was hat denn die weise Alte gesagt, warum ich oft so unendlich traurig bin?"

"Naja, sie hat gesagt, du bist traurig, weil du so allein bist und sie hat gemeint, wenn das nächste Mal ein netter Mann vorbeikommt, der dir gefällt, dann sollst du ihn doch fragen, ob er nicht bei dir bleiben will."

Die junge Frau lächelte, mit roten Wangen. "Du ... gar so viele kommen hier ja nicht vorbei ... und gefallen tätest mir schon sehr ... magst du nicht bei mir bleiben?"

Da sprang der Pechvogel auf und sagte: "Schönste, Liebste, von Herzen gerne, ich wüsste nichts, das ich lieber täte, aber weißt, mir hat die alte Frau gesagt, mein Glück liegt auf meinem Weg, und wenn ich nun bei dir bleib, dann find ich es nicht und es läuft mir davon, deshalb muss ich mich beeilen, damit ich es einhol, ehe es weg ist." Und weg war er.

Mittags kam er zu dem Weiher und natürlich fragte auch der Baum ihn: "Und, was hat die alte Frau gesagt, warum ich so ein Krischpinderl bin?"
"Also, sie hat gesagt, zwischen dir und dem Weiher ist ein großer Schatz vergraben, der verhindert, dass deine Wurzeln ans Wasser kommen und deshalb kannst du gar nicht wachsen, und wenn wer vorbeikommt, dann sollst du ihn bitten, den Schatz auszugraben, dann kriegst du genug Wasser und wirst auch ein prächtiger Baum."
"Du ... würdest du den Schatz ausgraben? Bitte, grab ihn aus! Darfst ihn auch behalten! Bitte!"
"Tut mir leid, lieber Baum, ich würd dir wirklich gerne helfen, aber ich hab's furchtbar eilig, weil die weise Frau hat mir gesagt, mein Glück liegt auf meinem Weg, und so muss ich mich beeilen, dass ich es einhol."
Und weg war er.

Als es schon Abend wurde und er schon beinahe aus dem Wald draußen war, da ist er dann noch dem Wolf, also dem Wolferl begegnet, dem mageren Wolf mit den spitzen Zähnen.
"Hast du sie gefunden, die Alte?", fragte das Wolferl.
"Ja, habe ich", antwortete der Pechvogel.
"Und – was hat dir die alte Frau für mich gesagt, warum ich so dünn bin und wie ich satt werden kann?", knurrte der Wolf.
"Also, das, was sie mir für dich aufgetragen hat, das hab ich nicht ganz verstanden, das hat nicht wirklich

Sinn ergeben", erwiderte der Pechvogel.

"Was hat sie denn gesagt?"

"Also, sie hat wörtlich gesagt: Wenn der Depp so weit kommt, darfst ihn zum Nachtmahl fressen."

Und das tat der Wolf.

Tandaruf

Es war einmal, vor langer, langer Zeit, da lebte ein Kaufmann, der hatte einen Sohn, der hieß Tandaruf, was "schöner als eine Rose" heißt, denn er war so wunderschön anzusehen. Doch nur bei Nacht, denn tagsüber war Tandaruf – ein Kürbis. Ja, ein schöner grüner Ölkürbis, groß und prall, aber eben ein Kürbis. Des Nachts jedoch war er ein wunderschöner Mann und half seinem Vater bei der Buchhaltung und was sonst so an Arbeit anfiel.

Eines Abends sagte Tandaruf zu seinen Eltern: "Vater, geh bitte zum König und sage ihm, dass ich seine jüngste Tochter heiraten will."
Die Eltern waren verständlicherweise ein wenig skeptisch – immerhin, da der König, und hier ihr Sohn, ein Kürbis, doch weil Tandaruf so darauf bestand und sie ihren einzigen Sohn über alles liebten, gaben sie nach.
Dazu muss man aber wissen, dass Tandarufs Bitte nicht ganz aus der Luft gegriffen war. Ein paar Nächte davor war er spazieren gegangen und zum Schloss des Königs gelangt, wo er die jüngste Prinzessin, die gerade nicht schlafen konnte, am Balkon stehen sah. Nun, und sie sah ihn, und er war – wie gesagt – äußerst hübsch, und er lächelte, und sie plauderten, und bald war klar, dass die beiden einander sehr zugetan waren.

Der Vater machte sich also auf den Weg zum König und bat im Namen seines Sohnes um die Hand der jüngsten Prinzessin. Zu seiner Überraschung sagte der König sofort Ja, er solle seinen Sohn doch nur gleich ins Schloss bringen.

Dazu muss man wissen, die jüngste Prinzessin war die dreizehnte Prinzessin. Und der König, der hatte nun schon zwölf Töchter vermählt, mit all dem Tamtam rundherum - Prinzen aussuchen, Mitgift aushandeln, Brautkleid wählen, Blumenschmuck und Torte, dazu ewig lange Diskussionen mit den Eltern des Bräutigams und mit der Königin - und er war es schon äußerst leid. Und als der König den Kaufmann sah, da dachte er: "Großartig, das geht schnell, und der will sicher auch keine große Mitgift, ist ja kein Fürst, und dann ist die ganze Verheiraterei endlich erledigt."

Nun fuhr der Kaufmann mit ziemlichen Bauchschmerzen nach Hause. Er hatte ja fest damit gerechnet, dass der König ihn abblitzen lässt, und nun musste er seinen Sohn, den Kürbis, ins Schloss bringen. Das konnte ihn den Kopf kosten, wenn der König glaubte, man hielt ihn zum Narren.

Doch dann dauerte es ein wenig, bis die Kaufmannsgattin sich fertig hergerichtet hatte, um ins Schloss zu fahren, und dann steckten sie noch im Stau, weil ein Pferdefuhrwerk umgestürzt war. Der Kürbis thronte glänzend poliert auf der Polsterbank in der Kutsche und seine Eltern zitterten ihrem Eintreffen im Schloss entgegen, wo die jüngste Prinzessin ihrerseits ängstlich der Ankunft des unbekannten Bräutigams entgegenbangte.

Gerade als der Kaufmann mit seiner Kutsche vor dem Schloss vorfuhr, ging die Sonne unter und aus der Kutsche stieg - Tandaruf, schön wie immer.

Erleichtert fiel die Mutter in Ohnmacht und auch der Prinzessin schwanden kurz die Sinne, vor Freude, dass dieser Traum ihrer Nächte nun ihr Mann werden sollte.

Tandaruf bestand darauf, dass die Hochzeit noch in derselben Nacht stattfand. Der Königin gefiel diese Eile gar nicht, doch der König deutete ihr, so eine eilige Hochzeit, das heißt keine Gäste, kein großes Bankett, keine Kosten.

Vor der Trauung weihte Tandaruf seine Braut noch in sein Geheimnis ein. Doch die Prinzessin war so angetan von seiner Schönheit und Liebenswürdigkeit, dass sie dachte: "Er ist so wunderschön bei Nacht, was kümmert es mich, wenn er tagsüber ein Kürbis ist. Wer braucht schon tagsüber einen Mann?"

Und so lebten sie die erste Zeit glücklich miteinander. Hier und da, da dachte sich die Prinzessin schon, dass auch tagsüber so ein Ehemann manchmal recht nützlich wäre, aber wozu hatte man Dienstboten? Einzig die Königin litt. Dazu muss man wissen, sie war eine sehr stolze Frau, hatte für all ihre Töchter großartige Gatten gefunden, und nun bei der Letzten, diese Blamage. Wenn sie auf einem Empfang gefragt wurde: "Ich habe gehört, eure Jüngste hat nun auch geheiratet, wie ist der denn so, der neue Schwiegersohn, ist er nett?" - "Er ist ein Kürbis." Das war verständlicherweise nicht der Traum einer Schwiegermutter. Aber was auch immer sie gegen ihren Schwiegersohn vorbrachte, ihre Tochter verteidigte ihn. Langsam jedoch merkte die Königin, dass die Prinzessin unzufrieden wurde, und so brachte sie eines Tages ihren Plan, den Kürbis loszuwerden, zum Tragen.

"Ach Liebste, wie musst du es leid sein, dich tagsüber nie mit deinem Gatten zeigen zu können. Mit der Schande für mich und die Familie habe ich mich ja abgefunden, aber wenn ich sehe, dass du leidest ... und auch er, wie gerne wäre er wohl ein Mensch rund um die Uhr ... Liebste, erinnerst du dich an das Märchen vom Froschkönig, da warf die Prinzessin den Frosch an die Wand und er wurde vom Fluch erlöst, wer weiß ... vielleicht ... ", und sie unterbreitete ihrer Tochter ihren Plan.

Lange Tage grübelte die Prinzessin hin und her, doch endlich erschien ihr das Leben an der Seite eines Kürbis wirklich unerträglich und der Plan ihrer Mutter die Möglichkeit, um sich und ihn zu erlösen.

So heizte sie eines Nachmittags den Kachelofen an, und als der Ofen so richtig heiß glühte, da nahm sie den Kürbis von seinem prinzlichen Kissen und schob ihn in den Ofen, schloss rasch die Türe.

Doch ehe es ein dröhnendes "Puff" machte, vernahm sie noch laut und klar die Stimme Tandarufs: "Oh du treuloses Weib! Ich verfluche dich, du sollst nicht gebären können, ehe ich dich wieder in Liebe umarme!" Puff.

Als der Ofen abgekühlt war, war er leer. Kein Tandaruf, kein Kürbis, gar nichts. Die Prinzessin erzählte allen unter Tränen, Tandaruf hätte sie verlassen, und nur ihre Mutter und sie wussten die Wahrheit.

Tandarufs Seele jedoch hatte sich mit einem Knall

aus dem Kürbis gelöst und war in ein fernes Königreich gekommen, in dem gerade der König verstorben war. Dort wieder zum Menschen geworden, erwählte ihn die verwitwete Königin zu ihrem Gemahl, da er hübsch und königlich war. Tandaruf lebte glücklich, weil nun auch tagsüber ein Mensch, und war ein gütiger und gerechter König.

Die Prinzessin jedoch litt immer mehr darunter, was sie ihrem Mann, den sie doch geliebt hatte, angetan hatte. Und als sie feststellte, dass sie sein Kind unter dem Herzen trug und die Monate vergingen, und sie, seinem Fluch gemäß, einfach nicht gebären konnte, da hielt sie es nicht mehr länger aus und machte sich heimlich auf den Weg, ob sie Tandaruf nicht doch wo fände.

Nach langem, mühsamen Wandern kam sie zur heiligen Frau Mittwoch. Zaghaft klopfte sie an die Türe der kleinen Hütte. Eine Stimme ertönte:
"Wer ist da? Wenn du gut bist, komm herein, bist du böse, lass es sein."
"Bin weder gut noch böse, nur verzweifelt."
Da öffnete die heilige Frau Mittwoch die Türe und die Prinzessin schilderte ihr Leid und fragte, ob sie nicht vielleicht wisse, wo Tandaruf sein könnte.
"Tut mir leid, ich weiß es nicht. Vielleicht weiß meine Schwester, die heilige Frau Freitag mehr. Doch damit dein Weg nicht umsonst war, nimm hier diese goldene Spindel. Wenn du an ihr spinnst, so wird ein goldener Faden entstehen."
Die Prinzessin bedankte sich artig und machte sich weiter auf den Weg, keuchend ihren dicken Bauch

vor sich herschiebend. So erreichte sie die Hütte der heiligen Frau Freitag, doch auch die wusste nichts von Tandaruf, sandte sie weiter zu ihrer Schwester Frau Sonntag und gab ihr ein goldenes Webschiffchen mit. Mit diesem müsse sie nur in der Luft die Bewegung des Webens machen, und ein goldener Stoff würde entstehen.

Endlich kam die Prinzessin zur heiligen Frau Sonntag und auch ihr erzählte sie ihr Leid.
"Oh, du bist nicht mehr weit von dem Königreich, in dem Tandaruf nun König ist. Höre, was du tun musst, wenn du dort bist. Setze dich an den Brunnen vor dem Schlosse, abends, wenn die Mägde kommen, um Wasser für das Bad der Königin zu holen, und spinne auf deiner Spindel. Du kannst sicher sein, die Mägde werden der Königin von den Goldfäden erzählen und sie wird dich ins Schloss rufen und dir die Spindel abkaufen wollen. Doch du, verkaufe sie nicht, sondern biete sie ihr als Geschenk, wenn sie dich eine Nacht das Bett mit Tandaruf teilen lässt. Funktioniert es, gut, wenn nicht, probier es am nächsten Tag mit dem Webschiffchen und am dritten mit diesem goldenen Huhn, das goldene Eier legt, aus denen goldene Küken schlüpfen."
Die Prinzessin bedankte sich und wanderte weiter.

Als sie am nächsten Abend am Brunnen vor dem Schloss saß, da musste sie herzlich weinen. Dazu muss man wissen, den Brunnen zierte eine Statue, die den König darstellte, und wie die Prinzessin da ihren Gatten so stehen sah, da wurde ihr erst so richtig bewusst, wie sehr sie ihn doch liebte und wie sehr sie gehofft hatte, sie könnte ihn mit der Idee ihrer Mutter wirklich erlösen. Vor lauter Weinen hätte sie fast aufs Spinnen vergessen, doch gerade noch rechtzeitig zog sie die Spindel hervor und es geschah, wie die heilige Frau Sonntag prophezeit hatte: Sie wurde ins Schloss zur Königin gerufen.

Dazu muss man wissen, die Königin war eine sehr geldgierige Frau, die Reichtümer nur so um sich häufte und Gold nicht widerstehen konnte.

Sie ließ sich von der Prinzessin die Spindel vorführen und bot ihr viel Geld, doch die Prinzessin verlangte als Bezahlung eine Nacht mit Tandaruf. Die Königin überlegte – keine Sekunde, dann stimmte sie zu.

Abends, als man die Prinzessin in das Zimmer des Königs führte, da schlief Tandaruf. Tief und fest. Verzweifelt setzte sich die Prinzessin an sein Bett und weinte bittere Tränen. "Oh Tandaruf, was hab ich dir unrecht getan! Wenn du mir doch vergeben könntest, auf dass dein Kind unter meinem Herzen geboren werden kann!"

Dazu muss man nun wissen, dass Tandaruf wie ein Stein schlief, weil die Königin ihm ein Schlafmittel in seinen abendlichen Tee gegeben hatte. Was sie aber nicht bedacht hatte, war, dass der Leibdiener des Königs, ein alter Mann, versteckt hinter dem Kachelofen auf der Ofenbank saß, um über den Schlaf seines Herrn zu wachen.

Am Morgen, als die Prinzessin längst das Schloss verlassen hatte, berichtete der Diener nun seinem Herrn, was in der Nacht vorgefallen war. Tandaruf ahnte sofort, dass er wegen des Tees so fest geschlafen hatte und er wusste auch, wer die geheimnisvolle Fremde war. In der Hoffnung, dass sie in der nächsten Nacht wiederkommen würde, beschloss er, auf seinen abendlichen Tee zu verzichten.

Dazu muss man wissen, dass auch Tandaruf die Prinzessin noch immer liebte und ihr vergeben hatte, da er ahnte, dass ihre Mutter sie zu der Tat getrieben hatte. Und erlöst von seinem Leben als Kürbis hatte sie ihn ja damit.

Am nächsten Tag wiederholte sich das Spiel – die Prinzessin saß mit dem Webschiffchen am Brunnen, wurde zur Königin geholt, bestand auf der Nacht mit Tandaruf – und er schlief. Dazu muss man wissen, dass die Königin an diesem Abend das Schlafmittel sicherheitshalber bereits in den Wein beim Abendessen gegeben hatte.

Am dritten Tag saß die Prinzessin nun schon sehr verzweifelt am Brunnen. Das Huhn war ihre letzte Chance, und ihren geliebten Tandaruf nun zweimal gesehen zu haben, ohne mit ihm zu reden, das lag ihr schwer auf dem Herzen.

Das Huhn nun brachte die Königin vollends aus der Fassung, begeistert spielte sie mit den goldenen Küken.

Als die Prinzessin in Tandarufs Kammer geführt wurde, schlief er wieder. Tränenüberströmt setzte sie sich an sein Bett, beweinte ihre Liebe, bat um Vergebung, schluchzte so herzerweichend, dass selbst dem alten Diener auf der Ofenbank, der in seinem langen Lakaienleben schon viel gesehen hatte, die Tränen die Wangen hinunterliefen.

Da schlug Tandaruf endlich die Augen auf und

umarmte glückselig die Prinzessin.

Dazu muss man wissen, dass Tandaruf heute vorgesorgt hatte und schon am Nachmittag über Übelkeit und Fieber geklagt hatte, Essen und Trinken verweigerte und so die Königin glauben ließ, dass er so und so schlafen würde.

Überglücklich fielen sich Tandaruf und die Prinzessin in die Arme und noch in derselben Nacht gebar sie ihm Zwillinge mit goldenem Haar.

Tandaruf hatte nun jedoch ein Problem – hier die Prinzessin, seine Gemahlin, dort die Königin, seine Gemahlin …

Doch wie es so ist im Märchen, es findet sich für alles eine Lösung.

Als man am Morgen das Zimmer der Königin betrat, da liefen der Zofe das Huhn und die goldenen Küken entgegen. Die Königin jedoch, die war selbst zu leblosem Gold geworden, als Strafe dafür, dass sie Reichtümer ihrer Ehe vorgezogen hatte.

Und so lebten Tandaruf und seine Prinzessin glücklich bis an ihr Ende.

Tagg

Es war einmal, vor langer, langer Zeit, da lebte ein junger Bauer namens Tagg, der züchtete Pferde. Auf seiner Weide standen zwölf prächtige Stuten, und alle waren sie trächtig. Als Tagg eines Morgens nach den Pferden sehen ging, da hatte er zwölf Fohlen – elf wunderschöne Stutenfohlen und einen mickrigen, hässlichen Hengst, der auch noch ein struppiges, blaues Fell hatte.

"Na so ein hässliches Ding!", entfuhr es Tagg.

"Ich mag zwar hässlich sein, doch wenn du tust, was ich dir sage, wirst du zu großem Reichtum und Glück kommen."

"Was – wer? Kannst du etwa sprechen?"

"Offensichtlich."

Tagg kratzte sich am Kopf, so etwas hatte er noch nie erlebt! Ein sprechendes, blaues Pferd! "Und was genau schlägst du vor, dass ich tue?"

"Töte die anderen elf Fohlen, damit ich die Milch der zwölf Stuten trinken kann, und du wirst es nicht bereuen."

Tagg grübelte lange. Hier elf wunderschöne Stutenfohlen, da ein hässlicher Hengst – der aber sprechen konnte. Schweren Herzens tat er, was der Hengst verlangt hatte. Und siehe da, im Laufe der Wochen wurde aus dem mickrigen blauen Hengst ein stattliches Tier, größer als alle Rösser, die Tagg je besessen hatte und mit der Kraft von zwölf Pferden. Sein blaues Fell hatte sich in ein silbriges Weiß gewandelt und noch nie hatte Tag ein derartig prachtvolles Pferd gesehen.

Es kam der Tag, da sprach der Hengst: "Nun Tagg,

sattle und zäume mich, und dann wollen wir zum Schloss des Königs reiten."

Tagg musste einen Teil seines Besitzes verkaufen, um für das riesige Pferd einen Sattel und Zaum anfertigen zu lassen, aber wenn sie schon zum König ritten, dann sollte sein Ross auch edel gezäumt sein.

Am Weg zum Schloss erfuhren sie, dass der König Schwierigkeiten mit seinen Pferden hatte. Neun seiner schönsten Rösser wollten seit Tagen nicht fressen und kümmerten dahin, ohne dass einer der Stallknechte und Ärzte eine Lösung fand.

"Großartig!", sagte der Hengst zu Tagg. "Melde dich dem König als Pferdeheiler. Lass dir für jedes Pferd drei Scheffel Hafer geben und dann verlange, dass man dich im Stall mit den Pferden allein lasse."

Tagg tat wie befohlen, und der König war nur zu froh, ihn gewähren zu lassen – jemand, der ein derartig prachtvolles Pferd ritt, musste sich mit Pferden auskennen.

Im Stall verlangte der Hengst nun den Hafer selbst zu fressen, dann sollte Tagg ihn auspeitschen, bis ihm der Schweiß herabtroff. Mit dem Schweiß dann sollte Tagg die Pferde des Königs einreiben, so würde der Fluch von den Rössern genommen werden. Tagg tat wie befohlen und siehe da, die Kraft seines Hengstes schien auf die Pferde überzugehen, denn kurz darauf standen sie gesund und munter da.

Voller Dankbarkeit schlug der König Tagg zum Ritter.

Dies missfiel jedoch dem jüngeren Bruder des Königs. Hatte er doch den Fluch auf die Pferde gelegt, um seinem verhassten Bruder das Leben schwer zu machen. Nach außen hin war der Jüngere immer freundlich und um das Wohl des Königs besorgt, doch in Wirklichkeit tat er alles, um den Herrscher zu stürzen.

So spann er auch nun eine Intrige: "Ach Bruder, die Leute reden über dich, dass du dir einbildest, die schönsten und besten Pferde im Stall zu haben – wo doch jeder weiß, dass das Weltenpferd noch viel prächtiger ist!"

"Das Weltenpferd?" Wenn es um Pferde ging, kannte der König wenig Vernunft. "Warum habe ich das nicht in meinem Stall?"

"Weil es noch niemand geschafft hat, es zu fangen. Doch dein neuer Ritter, der kann doch gut mit Pferden, schicke den doch, das Weltenpferd zu holen."

Also rief der König Tagg zu sich und befahl ihm: "Bring mir das Weltenpferd, sonst lass ich dich auf dem Hauptplatz köpfen."

Verzweifelt ging Tagg zu seinem Hengst in den Stall. "Du hast mir Glück und Reichtum versprochen, und nun droht mir der König mit dem Tod."

"Ich habe nie behauptet, dass es einfach wird, aber vertraue mir, wir werden diese Aufgabe schaffen. Verlange vom König die Haut von neunundneunzig Ochsen und vier 200 Kilo schwere Hufeisen für mich, und dann lass uns losziehen."

Zehn Lasteseln mussten die schweren Häute tragen, als Tagg und sein frisch beschlagener Hengst losritten, das Weltenpferd zu suchen.

Nach langen Tagen kamen sie zu einer verlassenen Burg.

"Hier sind wir richtig, hier lebt das Weltenpferd. Lege

mir nun die neunundneunzig Ochsenhäute über und dann klettere auf die Mauer, du wirst ein Schauspiel erleben, wie es selten jemand sieht."

Und tatsächlich! Kaum hatte das Weltenpferd, das noch größer und prächtiger war als Taggs Hengst, den Eindringling gesehen, stürmte es schon auf ihn los und trat zu. Bald lagen die ersten Ochsenhäute zerfetzt am Boden, doch bei jedem Tritt des Weltenpferdes schaffte es Taggs Hengst, diesem mit seinen schweren Hufeisen ebenfalls einen Tritt zu versetzen. Tagg saß voll Sorge um sein geliebtes Pferd auf der Mauer. Als nur noch vier oder fünf Ochsenhäute den Hengst vor den Tritten schützten, brach das Weltenpferd endlich erschöpft zusammen. Blitzschnell sprang Tagg in den Burghof und legte dem riesigen Hengst ein Zaumzeug an. Willig nahm das Weltenpferd seine Niederlage hin und ließ sich zum Schloss des Königs führen, wo es ein großes Aufsehen gab, als Tagg mit den zwei prächtigen Pferden angeritten kam.

Nur der Bruder des Königs war natürlich nicht zufrieden. Dieser kleine Pferdebauer war zäher, als er gedacht hatte, und so meinte er zum König: "Also dieser Tagg, der hält schon viel von sich. Letztens hat er behauptet, ihm wäre es ein Leichtes, die Prinzessin mit den goldenen Haaren aus dem silbernen Turm zu holen."

"Das hat er behauptet? Tagg!!!"

Ihr könnt euch vorstellen, wie der Auftrag des Königs lautete, unter Androhung der Enthauptung am Hauptplatz.

Verzweifelt machte Tagg sich mit seinem Hengst auf

den Weg. Nach einigen Tagen rasteten sie an einem See, und als sie da so saßen, entdeckte Tagg eine Schar Gänse, die matt und schwach im Gras lagen. Mitleidvoll gab er ihnen von seinem Proviant, den die Vögel dankbar fraßen. Da trat eine der Gänse auf ihn zu und sagte: "Hab Dank, du hast uns gerettet. Ich bin die Königin der Gänse, solltest du jemals Hilfe brauchen, so rufe mich einfach."

Einige Tage später erreichten sie das Meer. Vor der Küste lag eine Insel, und auf dieser kleinen Insel stand ein Turm, der silbern in der Sonne glänzte. Das Meer jedoch war wild und voller Strudeln und es war offensichtlich, dass kein Schiff dieses Wasser überqueren konnte.

Während Tagg und der Hengst grübelten, wie sie hinüberkämen, fiel Taggs Blick auf einen kleinen Fisch, der nach Luft schnappend am Ufer lag. Mitleidvoll warf er ihn ins Meer zurück. Der Kleine streckte seinen Kopf aus dem Wasser und sprach: "Hab Dank, du hast mich gerettet! Ich bin der König der Fische, solltest du jemals Hilfe brauchen, so rufe mich."

Das Angebot des Fisches brachte Tagg auf eine Idee. Rasch rief er die Gänsekönigin und erklärte ihr sein Problem.

"Nun, ich werde meine hundert stärksten Gänse rufen und sie sollen dich in einer Barke über das Wasser ziehen, so kannst du nicht von den Strudeln verschlungen werden."

Und schon kamen hundert Gänse angeflogen, an denen waren Seile festgebunden und daran hing ein wunderschönes Boot, mit kunstvollen Schnitzereien und goldenen Verzierungen, roten Samtkissen und einem bestickten Baldachin gegen die Sonne.

Die Gänse flogen zur Insel und zogen die Barke hinter sich her, während Tag bequem auf den samtenen Kissen saß.

Kaum hatten sie an der Insel angelegt, öffnete sich die Pforte des Turms und heraus trat eine junge Frau, deren Schönheit verschlug Tagg den Atem. Langes, goldenes Haar floss bis zu ihrer Taille, ihre Züge waren ebenmäßig und fein, die Augen leuchteten wie zwei Saphire. Ihre Stimme klang sanft wie der Frühlingsregen: "Verzeiht, dass ich euch gleich so entgegen eile, doch hier kommt nie jemand vorbei. Hättet ihr etwas dagegen, wenn ich mir euer wunderschönes Boot ansehe?"

"Aber natürlich nicht."

Galant half Tagg der Prinzessin auf das Boot, und als sie einander in die Augen blickten, da schien die Luft zu knistern.

Kaum war die Prinzessin an Bord, begannen die Gänse die Barke zurück ans Ufer zu ziehen. Lächelnd setzte die Schöne sich auf die samtenen Kissen. "Wo bringt ihr mich hin?"

Tagg erzählte ihr von dem König und seinem Auftrag, und dass er geköpft würde, käme er ohne die Prinzessin zurück.

Das Gesicht der Prinzessin verfinsterte sich. Viel lieber würde sie Tagg heiraten, denn der gefiel ihr ausgesprochen gut, und einen König, der Leuten mit dem Köpfen drohte, den wollte sie ganz gewiss nicht. Aber sie wollte natürlich auch nicht, dass Tagg ihretwegen Schwierigkeiten bekam, also lächelte sie ihrem Ärger zum Trotz und schwieg.

Der König war begeistert! Eine so schöne Prinzessin,
das war wahrlich die perfekte Frau für ihn! Und
selbst sein Bruder konnte nicht verhindern, sich in die
goldgelockte Schönheit zu verlieben. Wie gerne hätte
er sie für sich gewonnen!
"Nun Prinzessin," sprach der König, "Willst du
meine Frau werden?"
"Ich würde schon, werter König, wenn ihr nicht so
furchtbar alt wäret", antwortete die Prinzessin.
Hoffnungsvoll horchte der jüngere Bruder auf.
"Alt? Ich bin keine fünfzig! Meint ihr denn, ich
könnte mich einfach jünger zaubern, nur weil es euch
so beliebt?"
Da lächelte die Prinzessin. "Nun, ich wüsste schon
ein Mittel, das euch zwanzig Jahre jünger macht,
dann hättet ihr das ideale Alter."
Die Hoffnung des Bruders, der nur zwei Jahre jünger
als der König war, schwand. Der König jedoch, dem
gefiel der Gedanke, wieder dreißig zu sein,
ausnehmend gut. "Wahrlich? Ihr kennt ein Mittel?"
"Aber ja doch! Schicke den Ritter, der mich aus dem
Turm geholt hat, er soll je eine Flasche von den
Quellen des Todes und des Lebens holen, dann will
ich es euch beweisen und euch auch zum Mann
nehmen."
"Taaagggg!!! Abmarsch, sonst!"

Nun war Tagg wirklich verzweifelt. Wie sollte er das
schaffen? Und außerdem, nun stellte sich auch noch
diese Prinzessin gegen ihn, und er hatte gedacht ...
Doch sein Hengst hieß ihn mal wieder, nicht zu

verzagen. "Auch das werden wir schaffen, und ich habe so einen Verdacht ..."

Und so ritten sie wieder tagelang, bis sie an eine schreckliche Schlucht kamen. Es stank nach Schwefel, Rauchschwaden zogen über den Himmel, alles ringsum war verdorrt und tot.

Taggs Pferd hieß ihn absteigen. "So, hier dieses Bächlein entlang geht es zur Quelle des Todes und gleich dahinter ist die des Lebens. Noch nie hat es ein Mensch geschafft, dorthin zu gelangen. Doch ich weiß einen Weg. Du musst mich töten."

"Was??"

"Hör zu. Lass mich ausreden. Töte mich und verstecke dich in meinem Bauch. Es werden zwei Raben kommen, die Wächter der Quellen, um an mir zu speisen, davon musst du einen fangen, lass ihn ja nicht aus, dies ist unsere einzige Chance! Den Zweiten schickst du, die Flaschen mit dem Wasser des Todes und dem Wasser des Lebens zu füllen. Hast du die Flaschen, so träufle etwas Lebenswasser auf mich und ich werde wieder lebendig."

Schweren Herzens tat Tagg wie befohlen. Kaum hatte er sich in dem Pferdeleib versteckt, kamen auch schon die zwei Raben geflogen. Es gelang ihm, den einen zu fangen, der sofort in großes Geschrei ausbrach.

"Lass meinen Mann frei!", rief der Zweite.

"Nein, ich lasse ihn nur frei, wenn du mir diese Flaschen mit Wasser des Lebens und Wasser des Todes befüllst."

Fluchend und schimpfend flog die Rabenfrau davon, um eine Weile später mit verkohltem Gefieder aber auch mit zwei vollen Flaschen zurückzukehren.

Bei der Übergabe jedoch fiel die Flasche mit dem Lebenswasser in das Bächlein und wurde davongespült. Verzweifelt versuchte Tagg, sie herauszufischen, doch er schaffte es nicht. Hämisch krächzend flogen die Raben davon. Als Tagg auf das sprudelnde Wasser blickte, fiel ihm sein Erlebnis am Ufer des Meeres ein. Er rief den König der Fische um Hilfe. Und tatsächlich, er kam sogleich, und ihm gelang es mit vielen anderen Fischen gemeinsam, die Flasche aus dem tosenden Wasser ans Ufer zu befördern.

Eilig träufelte Tagg etwas Lebenswasser auf seinen Hengst, doch wie überrascht war er, als statt des Pferdes plötzlich ein junger Mann mit silbernem Haar vor ihm stand.

"Hab Dank, Tagg, du hast mich von dem Fluch befreit. Ich bin der Bruder der goldenen Prinzessin, und sie wird sich freuen, mich wieder in meiner normalen Gestalt zu sehen."

Jetzt, da Tagg kein Pferd mehr hatte und sie zu Fuß gehen mussten, dauerte der Weg zurück natürlich länger. Die goldene Prinzessin wartete schon verzweifelt, musste sie doch täglich die Avancen von König und Königsbruder abwehren.

Als Tagg endlich zurückkehrte, war die Freude der Prinzessin unermesslich, dass sie ihren Bruder wieder hatte. Doch dann verlor sie keine Zeit.

"Siehe König, nun will ich dir das Wunder vorführen. Achte auf diesen alten Hund hier." Sie träufelte einige Tropfen Todeswasser auf den Köter, er zuckte und starb. Dann nahm sie die Flasche mit Lebenswasser und benetzte den Hund, der gleich wieder aufsprang, jung und lebhaft.

"Fantastisch! Oh, wie wird das wunderbar, wenn ich ein junger, stattlicher Mann bin und du mein Weib!" Der König konnte es kaum erwarten.

"Oh Bruder, lass sie auch mich verjüngen, denn sonst wäre ja plötzlich ich der Ältere und du müsstest mir dein Reich abgeben." Eigentlich wäre das ja etwas, was dem Königsbruder nur recht wäre, doch die Prinzessin hatte ihm so den Kopf verdreht, dass er unmöglich seinem Bruder gönnen konnte, sie zu besitzen. Wäre er nur auch erst wieder jung, würde er schon Wege finden, die Hochzeit zu verhindern.

Gerührt von der Bescheidenheit seines jüngeren Bruders stimmte der König zu, und so beträufelte die Prinzessin beide mit dem Todeswasser. Dann jedoch nahm sie beide Flaschen und verschloss sie an einem geheimen Ort, damit niemand den König wieder zu Leben erwecken könne.

Das Volk wählte den mutigen Helden Tagg zum König. Und die Prinzessin wählte ihn zu ihrem Mann. Und so hatte sich die Prophezeiung des zwölften Fohlens bewahrheitet, und Tagg war reich und glücklich bis an sein Lebensende. Aber da die Prinzessin ja das Lebenswasser besitzt – wer weiß, vielleicht leben sie noch heute.

Lightning Source UK Ltd.
Milton Keynes UK
UKHW010722290519
343525UK00002B/523/P